ALICE

ALICE

ALICE

WE WERE ONCE IN WONDERLAND

앨리스: 우리는 한때 이상한 나라에 있었다

소전
서가

ALICE

Curiouser and curiouser!

갈수록 신기해지네!

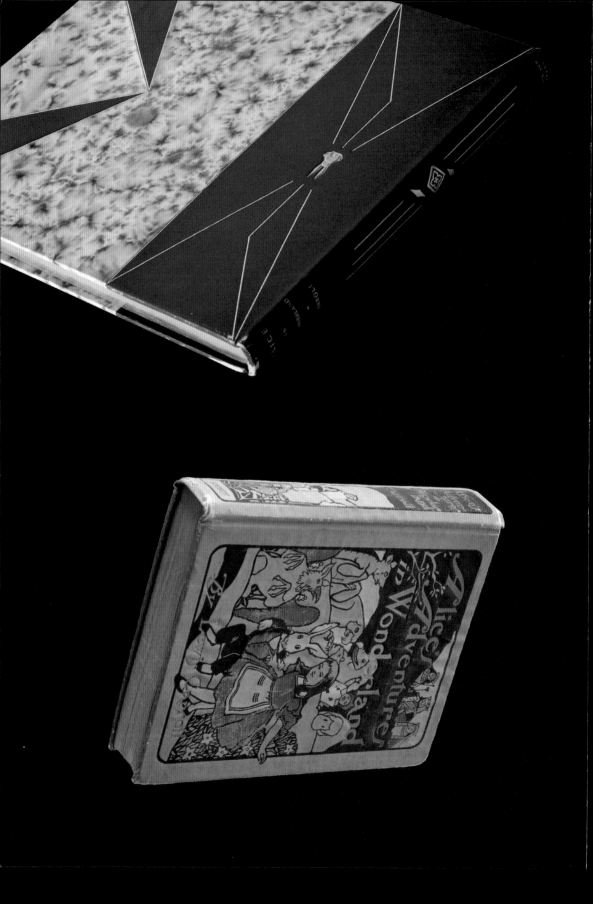

LEWIS CARROLL ·

ALICE'S Adventures in Wonderland

LEWIS CARROLL · ALICE I

ALICE IN WONDERLAND THROUGH THE LOOKING GLASS

Alice's Adventures in Wonder

LEWIS CARROLLS MAX ERNST
WUNDERHORN LITHOGRAPHIEN

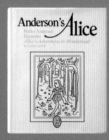

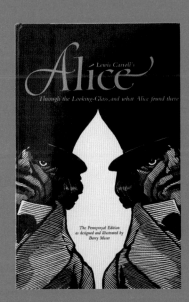

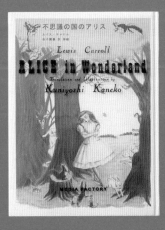

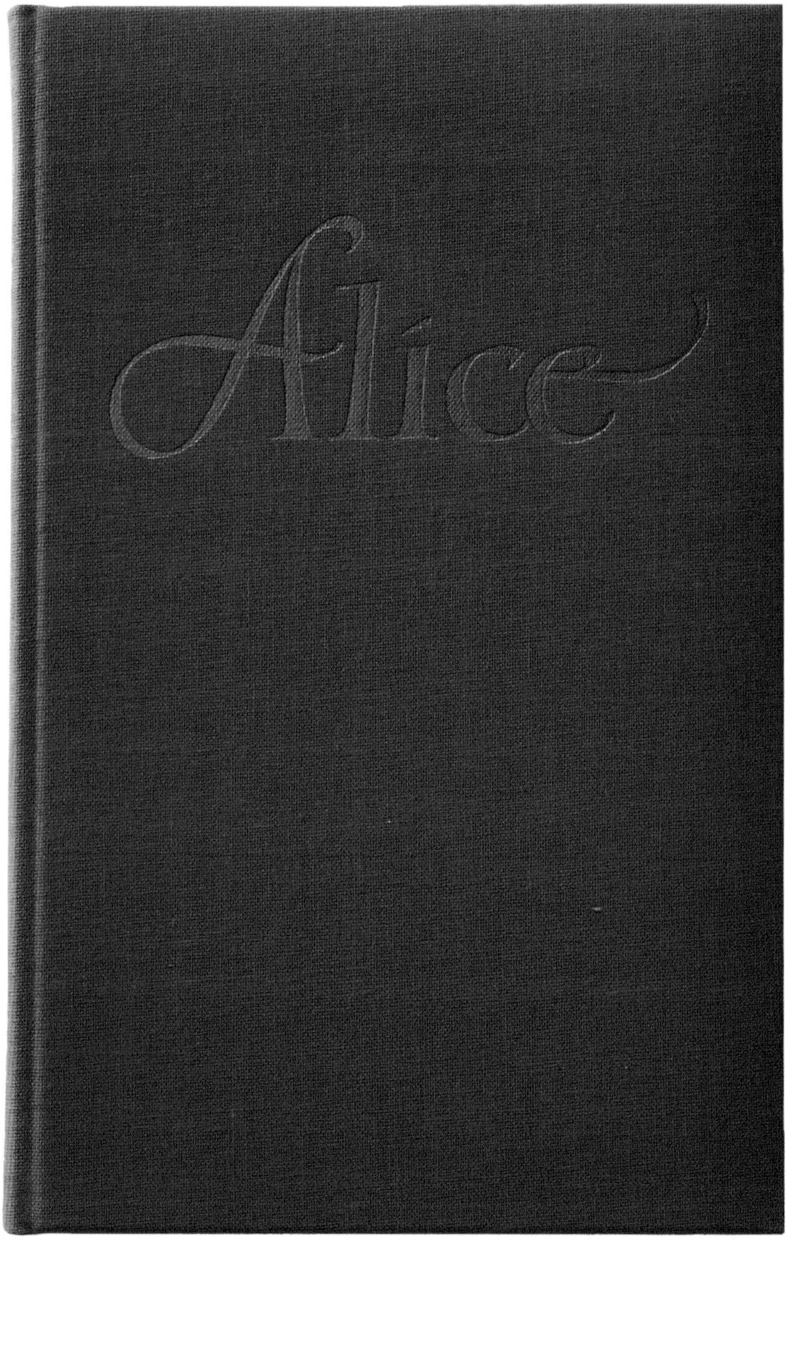
Alice

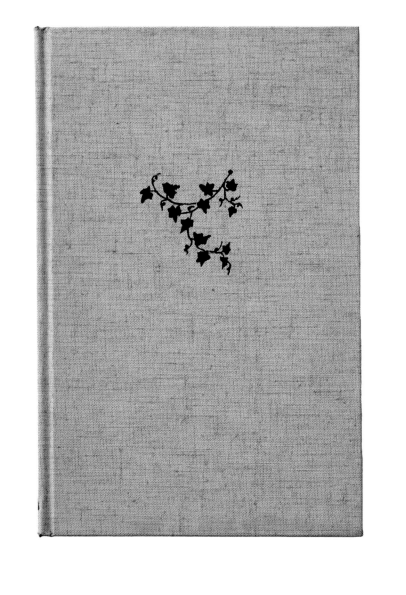

Who would not give all else for two
 pennyworth only of beautiful Soup?
Pennyworth only of beautiful Soup?
   Beau-ootiful Soo-oop!
   Beau-ootiful Soo-oop!
Soo-oop of the e-e-evening,
    Beautiful, beauti-**FUL SOUP**!

"Chorus again!" cried the Gryphon, and t'
Mock Turtle had just begun to repeat it, wh
a cry of "The trial's beginning!" was heard
the distance.

Willy Pogány

"Come on!" cried the Gryphon, and, taki

Cente...
The C...
Lewis...

Throug...
hundre...
best thi...
perhap...
Advent...
perfect...
dazzlin...

Many a...
Alice b...
few hav...
Tennie...
story h...
for ma...
Advent...
1972 w...
Memo...
illustra...
years...
done f...
his mo...
achiev...

Steadm...
view th...
himse...
the wo...
passes...
symbo...
discord...
been s...
White...
the fa...
himse...

The te...
has ne...
this fo...
the la...
but it...
corre...
1887,...
in the...

책머리에

소전문화재단 북아트전은 재단이 수집하고 있는 북아트 서적들의 보고 역할을 하면서 동시에 이 훌륭한 고전을 함께 읽자는 독서 장려의 의미가 담겨 있습니다. 2021년 소전서림의 일부 공간을 대중에게는 다소 생소한 북아트갤러리로 변경하면서 단테의 『신곡』을 주제로 전시를 시작했습니다. 그 이후 세르반테스 사아베드라의 『돈키호테』와 제임스 조이스의 『율리시스』 전시에 이어 루이스 캐럴의 「앨리스 북아트전」을 개최하게 되었습니다. 벌써 네 번째 전시입니다.

첫 전시부터 기획했으나 여건상 실제로 만들지 못한 채 아쉬운 마음만 가지고 있다가 이번에 「앨리스 북아트전」과 함께 이 책을 만들게 되어서 기쁜 마음을 감출 수가 없습니다. 이 책은 책(『이상한 나라의 앨리스』와 『거울 나라의 앨리스』)에 대한 책이면서 우리 재단이 수집하는 책들(북아트 컬렉션)에 대한 책입니다. 북아트갤러리에서 이루어진 전시 구성을 그대로 가져와 작품의 시대 배경과 참여 작가, 예술가, 출판인들의 이야기를 동시에 상상해 보도록 구성한 전시 도록이자 예술에 관한 책이기도 합니다. 그리고 전시 기간 동안 이루어진 앨리스 전문가들의 강연록을 실어 이 모든 기획의 중심에는 문학이 자리한다는 것을 실감하게 합니다.

책을 사랑하는 사람들이 만들었으니 마찬가지로 책을 사랑하는 사람들에게 많은 사랑을 받았으면 좋겠다는 욕심입니다. 게다가 이전 세 번의 전시 도록도 연이어 출간할 예정이니 관심을 가져 주셨으면 합니다. 이 자리를 빌려, 지금까지 전시와 책을 기획하고 만들어 낸 전시 팀의 열정과 통찰에 깊은 감사를 전합니다.

김원일
소전문화재단 이사장

북아트: 예술로서의 책

수천 년 동안 인류와 함께한 <책>은 그 긴 역사만큼이나 다양한 형태를 거쳤다. 종이가
발명되기 전에는 식물을 이용한 파피루스, 강가의 흙으로 만든 점토판, 동물 가죽을 이용한
양피지 등이 재료로 사용되었다. 이후 종이가 발명되고, 문자가 체계를 갖추고, 뒤이어
목판과 활판 인쇄술, 제본 기술이 발달하면서 책이 현재의 모양을 갖추게 되었다.

책은 지식 생산 및 전달 매체의 토대로서 인류 역사상 최고의 발명품이다. 그런 책에
필경사, 수도사, 인쇄 장인 등의 출판인들이 2천여 년 동안 영혼을 불어넣어 왔다. 오랜
역사가 지속되어 온 만큼 책의 형태뿐 아니라 개념에도 변화가 있었다. 유희의 가치가
더해지면서 <읽는> 것뿐 아니라 <보고>, <듣는> 행위를 즐길 수 있는 매체로 변화하게 된
것이다. 북아트book art도 그중 하나이다.

북아트는 예술가들이 텍스트에 시각적 아름다움을 더하여 예술적 가치가 부여된 책이다.
이 개념은 18세기 영국의 시인이자 화가인 윌리엄 블레이크William Blake가 만든
시화집『순수와 경험의 노래Songs of Innocence and of Experience』에서 찾아볼 수 있다.
1789년에 그는 자신의 시와 그림을 한 레이아웃에 디자인한 뒤 직접 인쇄하고 제본한
책을 만들었는데, 한 작가가 텍스트와 이미지를 유기적으로 결합해 냈다는 데 북아트로서
가치가 있다.

그로부터 발전하여 아방가르드 예술가나 다다, 초현실주의 작가 들도 대중적이고
확산성이 강한 매체인 책을 예술적 매체로 사용했다. 이후 텍스트를 기반으로 하는 현대
개념 미술가들 역시 책을 예술 매체로 사용하고 있다. 이렇듯 시대와 장르를 넘어 다양한
예술가들이 자신의 예술성과 창의성을 드러내는 매체로 책을 활용하다 보니, 그 방법이나
접근 방식에 따라 개념 또한 세밀하게 나뉘었다. 책이라는 매체의 무한한 가능성만큼
더욱이 단순한 용어로 정의하기 어렵게 된 것이다.

일반적으로 예술에 관해 설명하는 책은 아트북art book, 예술적 표현 매체로서의 책은
북아트로 이해한다. 이 두 개념은 책의 기본 속성인 대중과의 만남을 전제로 한다. 여기서
더 나아간 아티스트북artist's book은 미술가가 주체가 되어 하나의 오브제로서, 미술관이나
박물관에 전시하는 작품을 일컫는다.

소전서림 북아트갤러리는 이 북아트라는 개념 안에서 문학 작가들과 미술가들, 출판인들이
협업하여 만든 책을 소장해 나가고 있다. 그중 문학과 미술의 역사에서 유의미한 자리를
차지하는 책들을 소개하는 자리를 마련하고자 한다. 문학과 미술을 사랑하는 독자와
관람객에게 두 장르의 관계와 예술에 대한 관점을 환기하는 계기가 되길 바란다.

윌리엄 블레이크의 『순수와 경험의 노래』 표제지와 본문

전시 기획의 글

어린 소녀, 굴속에 떨어짐, 커지고 작아지는 몸, 말하는 토끼와 고양이……. 누구에게나
〈앨리스〉 하면 떠오르는 이미지가 있겠다. 이 환상적 이야기는 끊임없이 대중 매체를 통해
확산되고, 공연과 전시 형태로 독자와 관람객에게 다가간다. 압도할 만한 이미지들과
함께. 한편으로 이런 생각이 든다. 시대와 문화에 따라 계속 재탄생하는 이 작품을 우리는
제대로 알고 있는 걸까? 반복적으로 재현되고 재해석되다 보면 원본의 의도나 선명도는
조금씩 틀어지고 흐려지기 마련이니까. 이번 전시를 기획하면서 당돌한 아이디어까지
닿아 봤다. 〈최초로 이미지 없는 앨리스 전시를 만들어 볼까?〉 워낙 압도적인 이미지가
넘쳐 나다 보니 오히려 본질을 놓치는 것이 아닌가 하는 우려에서였다. 하지만 보시다시피
그렇게 되지는 않았다. 이 작품을 파고들수록 그런 전시를 하지 않아야 할 이유들이
발견되었기에.

문학사의 굵직한 흐름으로 이어 온 소전서림 북아트갤러리의 네 번째 전시 주제는
루이스 캐럴의 『이상한 나라의 앨리스』와 『거울 나라의 앨리스』(이하 『앨리스』)이다.
『앨리스』는 기성의 형식과 관습에 반발하여 실험적이고 전위적인 경향성을 띤 실험 문학의
계보에서도 독특한 위치를 차지한다. 이전 전시 주제였던 제임스 조이스의 모더니즘 소설
『율리시스』보다 일찍 태어났지만, 시대를 뛰어넘어 『율리시스』 이후 등장한 초현실주의
작가들에게 영향을 줬다. 또한 미지의 영역이라 쉽게 휘발되고 공허함이 남았던 인간 의식
속 유희(遊戲)를 어엿한 장르로 자리 잡도록 했다. 기존의 교훈 위주가 아니라 어린이들의
욕구나 재미를 위한 것으로 동화에 대한 개념을 완전히 바꾸어 놓았다. 독자들도 이제부터
잘 살펴보시라. 세계 문학사라는 긴 물줄기가 흐르는 곳에 이 호기심 충만한 소녀는 꼭
나타난다.

이 전시의 관람 포인트는 〈두 시선〉이다. 순수한 소녀의 모험담을 담은 동화 이면의
시선을 전시에 끌어오고자 했다. 양면의 동전처럼 『앨리스』에는 어린이의 시선과 어른의
시선이 동시에 존재한다. 이 작품에 푹 빠져 자기 자신을 앨리스에게 이입하는 어린이는
어떤 감정을 느낄까? 끝 모를 공간에 떨어지고, 감당할 수 없을 만큼 몸이 커졌다
작아지고, 신기하게도 동물들이 말을 하는데 그 내용을 전혀 이해할 수 없고, 그리고
미지의 공간에 갇혀 영영 집으로 돌아갈 수 없을 거라는 걱정에 사로잡힌 앨리스가
된다면. 아이들은 특수한 상황에 흥미를 느끼다가도 스멀스멀 올라오는 이상한 공포를
느낄 것이다. 따져 보면 아이에게 이 상황은 신나는 모험이 아니라, 실로 기괴하고 잔혹한
실존적 고민이 된다.

하지만 동전 뒷면에 존재하는 논리와 창의라는 개념을 인지하는 어른의 시선이라면 어떨까? 정신 분석학적으로, 수학적으로, 언어 논리학적으로 접근하여 참신하고 유희 넘치고 재기 발랄한 이야기로 읽어 낼 것이다. 이때 『앨리스』는 거대한 메타포이자 환상 문학이 된다. 하나의 몸을 지닌 두 가지 정신이며, 그것으로 역설 그 자체가 된다. 그런 관점으로 전시장에 흩어 놓은 키워드와 장면들을 상상해 보길 권한다. 공포와 유희가 충돌하는 지점에서, 냉탕과 온탕을 선택적으로 왔다 갔다 하듯 작품을 맛볼 수 있을 것이다. 낯섦(어린이들이 느끼는 공포)과 익숙함(어른들이 즐기는 유희) 사이가 <문학이 위치해야 하는 자리>가 아닐까.

앞서 언급했듯 이 전시를 <이미지가 필요한 전시>로 꾸린 것은 루이스 캐럴이 『앨리스』를 쓸 때 이미지와 함께 기획했기 때문이다. 최초에는 캐럴이 직접 각 장면을 그렸고, 이후 전문 일러스트레이터와 함께 <북아트>의 가능성을 내포하는 책으로 만들었다. 그것이 최초의 기획 의도이며, 그 최초의 원본을 파고들려면 <이미지와 함께하는 문학 읽기>라는 콘셉트를 지켜야 한다는 결론으로 이어진 것이다. 이번 전시에서도 자신만의 관점으로 『앨리스』를 표현해 낸 예술가 26인의 북아트 32종을 만날 수 있다. 더 나아가 강연 프로그램을 통해 작가의 의도에 한층 다가가 보고자 했다.

1백 년 남짓한 삶 속에서 인간의 정신을 가보지 못한 단계로 이끄는 작품을 종종 만나게 된다. 그럼에도 남에게 좋은 작품이 나에게 좋을 수만은 없고, 나에게 좋은 작품이 남에게 좋을 수만도 없다. 나만의 작품을 찾기 위해서는 스스로 문학과 진지하게 마주하는 기회를 자주 만들어야 한다. 그런 기회가 많을수록 <내 삶과 같은 문학>을 만나는 기회도 늘어나리라 믿는다. 그리하여 가진 역량을 모두 끌어모아 『앨리스 북아트전』을 내놓는다. 이 전시가 단 한 사람에게라도 <내 삶과 같은 문학>을 만나는 계기가 된다면, 우리의 역할을 다했다고 믿어 의심치 않는다.

김미정
소전문화재단 팀장

"They told me you had been to her,
And mentioned me to him:
She gave me a good character,
But said I could not swim.

He sent them word I had not gone
(We know it to be true):
If she should push the matter on,
What would become of you?

I gave her one, they gave him two,
You gave us three or more;
They all returned from him to you,
Though they were mine before.

If I or she should chance to be
Involved in this affair,
He trusts to you to set them free,
Exactly as we were.

My notion was that you had been
(Before she had this fit)
An obstacle that came between
Him, and ourselves, and it.

Don't let him know she liked them best,
For this must ever be
A secret, kept from all the rest,
Between yourself and me."

"That's the most important piece of evidence we've heard yet," said the
King, rubbing his hands; "so now let the jury—"

"If any one of them can explain it," said Alice (she had grown so large
in the last few minutes that she wasn't a bit afraid of interrupting him),
"I'll give him sixpence. *I* don't believe there's an atom of meaning in it."

❀ The jury all wrote down on their slates, "*She* doesn't believe there's an
atom of meaning in it," but none of them attempted to explain the paper.

"If there's no meaning in it," said the King, "that saves a world of
trouble, you know, as we needn't try to find any. And yet I don't know,"

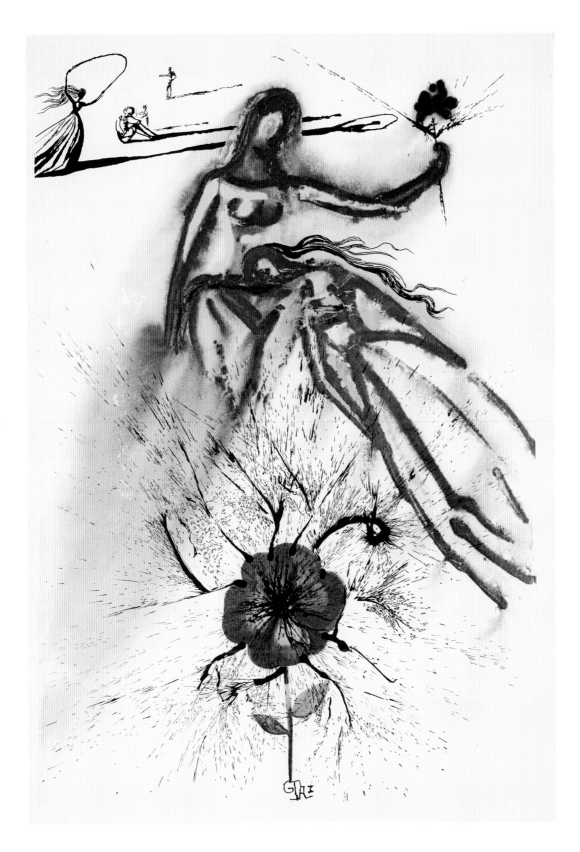

Twas

brillig, and the

slithy toves

Did gyre and gimble in the wabe:

All mimsy were the borogoves,

And the mome raths outgrabe.

"Beware the Jabberwock, my son!

The jaws that bite, the claws that catch!

Beware the Jubjub bird, and shun

The frumious Bandersnatch!"

He took his vorpal sword in hand;

Long time the manxome foe he

sought—

So rested he by the Tumtum tree

And stood awhile in thought.

And, as in uffish thought he

stood,

The Jabberwock, with

eyes of flame,

Came whiffling through

the tulgey wood,

And burbled as it

came!

One, two! One, two!

And through and

through

The vorpal blade

went snicker-snack!

He left it dead, and

with its head

He went

galumphing back.

"And hast thou

slain the

Jabberwock?

Come

to my

arms, my

beamish

boy!

O frabjous

day!

Callooh!

1832년 출생	1월 27일에 영국 체셔의 데어스베리에서 성직자인 아버지 찰스 도지슨과 어머니 프랜시스 제인 럿위지의 11남매 가운데 셋째로 태어남.
1846년 14세	노스워릭셔의 공립 학교인 럭비 스쿨에 진학했으나 학내에서 괴롭힘을 당하며 괴로운 학창 시절을 보내게 됨. 그럼에도 수학 교사에게 <이보다 더 유망한 학생은 본 적이 없다>라는 말을 들을 만큼 수학에 뛰어난 재능을 보임.
1849년 17세	백일해를 앓은 뒤 오른쪽 귀에 이상이 생겨 말을 더듬게 됨.
1850년 18세	옥스퍼드 대학교 크라이스트처치 칼리지에 진학하여 수학을 공부함.
1852년 20세	수학 분야에서 뛰어난 성취를 보이며 단과 대학의 연구 회원 자격을 획득함.
1854년 22세	문학 학사 학위를 받음.
1855년 23세	크라이스트처치 칼리지에서 수학 강사로 임용되어 이후 26년간 학생들을 가르침.
1856년 24세	대학 학장으로 부임한 헨리 리들과 그의 가족들을 만나게 됨. 주간지 『트레인』에 글을 발표하면서 자신의 본명과 어머니의 이름 철자를 섞은 <루이스 캐럴Lewis Carroll>이라는 필명을 사용함.
1860년 28세	수학 입문서 『평면 대수 기하학 입문서』와 『유클리드 초기 저서에 관한 해설서』를 발표함.
1862년 30세	7월 4일에 헨리 리들의 세 자매와 강에서 뱃놀이를 하다가 즉흥적으로 앨리스라는 소녀의 모험담을 들려줌. 둘째인 앨리스 리들이 그 이야기를 책으로 만들어 달라고 조르게 됨.
1864년 32세	<여름날을 기념하여 친애하는 아이에게 주는 크리스마스 선물>로써 원고를 책으로 만들어 앨리스 리들에게 선물함. <지하 세계의 앨리스Alice's Adventures Under Ground>라는 제목을 붙인 책에는 그가 직접 그린 37점의 펜화가 수록됨.
1865년 33세	영국의 맥밀런 출판사에서 『이상한 나라의 앨리스』가 출판됨. 존 테니얼John Tenniel의 삽화가 실린 이 책은 출간되자마자 상업적으로 성공을 거두며 전 세계로 퍼져 나가게 됨.
1871년 39세	크리스마스 기프트북으로 후속작인 『거울 나라의 앨리스』를 출판함.
1876년 44세	상상 속의 동물인 스나크를 추적하는 사람들의 이야기 『스나크 사냥The Hunting of the Snark』을 출간함.
1881년 49세	크라이스트처치 칼리지 수학 강사직을 사임함.
1893년 61세	두 권으로 구성된 『실비와 브루노Sylvie and Bruno』를 출판함.
1898년 66세	『기호 논리학』을 집필하다가 1월 14일에 폐렴으로 사망함. 장례식은 세인트 메리 교회에서 거행되었고, 시신은 마운틴 묘지에 안장됨.

저자   루이스 캐럴

이상한 나라에 사는 사람

루이스 캐럴은 1865년에 『이상한 나라의 앨리스』라는 작품을 통해 독자들의 호기심을 자극하고, 예술가들에게 영감을 준 캐릭터 〈앨리스〉를 창조했다. 160여 년 전이다. 그는 훗날 앨리스가 발휘할 영향력을 인지했을까? 아마 그런 생각을 하지 못했을 것이다. 앨리스는 일찌감치 그의 삶에 자리하고 있었다. 그는 어릴 때부터 직접 삽화를 그린 옛날이야기, 수수께끼, 말놀이가 가득한 잡지를 만드는 등 글과 그림을 통해 이야기하기를 좋아했다. 이런 그의 성향이 『이상한 나라의 앨리스』에서 풍자시와 말장난, 논리가 뒤바뀐 이야기로 이어진다.

그는 일찍이 수학에 두각을 나타내며 20세에 옥스퍼드 대학 수학과의 연구 회원이 되었다. 그러나 그의 열정은 실은 문학과 예술에 가 있었다. 22세에 문학 학사 학위를 받아 소설가로 기억될 가능성을 품었으며, 셰익스피어의 극을 보고 벨리니와 로시니의 오페라를 들었다. 또한 미술관에 자주 다니면서 화가 그룹과 친밀한 교류를 나누었다. 그의 작품에 시와 노래, 그림이 주요하게 등장하는 것은 자연스러운 일이었다.

24세가 되던 때, 그는 복잡한 기술을 요하는 카메라로 사진을 찍기 시작했다. 이때 앨리스의 모델이 된 앨리스 리들과 그 자매들을 만난다. 새로 부임한 대학 학장인 헨리 리들의 아이들은 신기한 카메라를 들고 재미있게 이야기하는 다정한 캐럴 아저씨를 따랐다. 그들은 자연스럽게 소풍을 다니고, 사진을 찍고, 재미있는 이야기를 나누며 가까워졌다. 그는 당시 영국 빅토리아 시대의 목적성이 분명하고 엄격한 교훈담이 아니라, 아이들이 온전히 좋아하고 상상력을 펼칠 수 있는 이야기를 해주었다. 청소년기에 백일해를 앓은 뒤 청력에 이상이 생겨 말을 더듬게 된 그에게 편견 없는 아이들과의 교류는 편안함을 주었고, 아이들의 천진한 반응과 상상력을 통해 영감을 얻을 수 있었다.

30세가 되던 해, 그는 강가에서 아이들과 배를 타고 놀다가 일곱 살 소녀 앨리스가 토끼 굴에 빠지면서 벌어지는 모험 이야기를 들려준다. 그는 그때를 이렇게 회고한다. 〈새로운 형식의 동화를 만들어 내고자 했지만, 별 성과가 없었다. 그날 나는 내 주인공을 토끼 굴로 들여보내면서 이야기를 시작했다. 그 순간만 해도 다음 이야기를 어떻게 전개해 나갈지에 대해서는 아무런 생각이 없었다.〉이에 앨리스 리들 역시 이렇게 말한다. 〈캐럴 아저씨가 그날 오후에 들려주었던 이야기는 평소보다 훨씬 재미있었어요. 그 소풍을 아직도 분명하게 기억하고 있는 게 증거지요. 다음 날부터 나는 그 이야기를 책으로 만들어 달라고 아저씨를 조르기 시작했어요.〉

그날 소풍에서 들려주었던 이야기는 3년 뒤인 1865년, 영국 맥밀런 출판사에서 『이상한 나라의 앨리스』로 출판된다. 최초에는 그가 삽화를 그렸지만, 존 테니얼이라는 삽화가에게 다시 정식으로 의뢰하게 된다. 그러면서 〈체셔 고양이〉와 〈이상한 다과회〉 등 캐릭터와 에피소드가 추가된다. 이 책은 〈크리스마스 선물용으로 적합하다〉, 〈우울함을 몰아내는 해독제〉라는 평을 얻으면서 승승장구를 거듭했다. 그는 우스꽝스러운 캐릭터와 난센스의 결을 같이하는 『거울 나라의 앨리스』를 후속편으로 출간한다. 39세의 크리스마스 때였다.

44세가 되는 해, 그는 섬에 모인 사람들이 상상 속의 신비한 동물을 추적하는 이야기 『스나크 사냥』을 출간한다. 이 작품은 1929년 프랑스의 초현실주의 작가 루이 아라공Louis Aragon이 번역하면서 루이스 캐럴을 〈초현실주의의 선구자〉로 등극시키는 계기를 마련한다. 61세 때는 아이들을 위한 소설 『실비와 브루노』를 출판한다.

그는 작가로서 명성을 얻었지만, 한편으로 성실한 수학자이기도 했다. 49세 때 은퇴하는 날까지 수학을 가르쳤으며, 탄탄함과 독창성을 지닌 수학 입문서를 여러 권 발표했다. 다만 그때는 자신의 본명인 찰스 럿위지 도지슨Charles Lutwidge Dodgson이라는 이름을 사용했다. 그리고 66세에 폐렴으로 사망했다.

논리적인 수학자이면서, 동시에 난센스와 환상으로 가득한 문학의 새로운 지평을 연 그는 마치 〈이상한 나라〉에 사는 사람 같다. 그의 천부적인 재치와 상상력은 여전히 전 세계의 어린이들과 어른들을 사로잡고 있다.

『이상한 나라의 앨리스』는 루이스 캐럴이 자신의 어린 친구들을 위해 배 위에서 노를 저으며
한가롭게 지어낸 이야기이다. 그는 아이들의 맑게 빛나는 눈을 더욱 반짝이게 해줄 만한 이야기를
만들어 냈다. 아이들은 이 놀라운 이야기를 책으로 만들어 달라고 졸랐고, 그는 몇 가지 에피소드를
덧붙여 책으로 출간했다. 동물과 대화를 하고, 시간이 멈추고, 상식을 뒤엎는 논리가 적용되는
이상한 나라의 모험담은 큰 인기를 끌었다. 6년 뒤 전작의 인기에 힘입어 후속작인 『거울 나라의
앨리스』가 출간되었다. 이 작품은 이상한 나라에 갔던 앨리스가 6개월 뒤 논리와 규칙성을 띤 체스
판의 세상인 거울 나라에 가서 겪는 모험담을 그린다.

19세기 영국의 빅토리아 시대에 아이들은 교육의 대상이었고, 동화는 아이들을 사회화하는 데
활용되었다. 캐럴은 수학자로서 보수적인 성향을 지닌 인물이었지만, 그와 반대로 동심의 세계를
그려 내는 작가로서 당대의 인식과 통념을 부수는 데 즐거움을 느꼈다. 그리하여 철저히 어린이
독자의 재미를 위한 이야기는 동화의 개념을 확장했다. 깊은 굴로 떨어진다든지, 집 안에 꽉 찰 만큼
몸이 커진다든지, 있는 힘껏 달려야 겨우 제자리인 상황은 무슨 의미인지 굳이 설명하지 않아도
명확하고 강력한 해석이 가능했고, 따라서 적극적으로 연구와 인용의 대상이 되었다. 후대에는
정신 분석학으로, 초현실주의로, 무의식에 대한 메타포로 해석되었다.

그럼에도 두 작품은 독자들을 위한 것이다. 최초에 캐럴이 어린이 독자들을 위해 이야기를 만들어
낸 것처럼 동심의 순수한 기쁨과 놀라움을 독자에게 안기는 것이 작품의 첫 번째 존재 이유이기
때문이다. 두 작품은 각각 열두 장으로 이루어져 있다. 각 장마다 앨리스는 각기 다른 공간에
다다르고, 기이한 만남과 사건을 경험한다. 온통 괴이한 일투성이인데 해결의 실마리는 애초부터
없다. 앨리스 역시 사건 해결에 큰 의미를 두지 않는 듯 망설임 없이 다음 만남과 사건으로 향한다.
앨리스의 이야기는 두 세계(이상한 나라와 거울 나라)에서 벌어지는 것이지만, 스물네 개의
이야기라고 할 수 있을 만큼 각각의 아이디어가 독립적이며 개별적으로 존재한다. 그리고 독특한
에피소드들은 의미와 해석 측면에서 저마다 확장 가능성을 암시한다. 『이상한 나라의 앨리스』와
『거울 나라의 앨리스』를 시각화한 최초의 일러스트레이터 존 테니얼의 그림을 따라 각각의 장면을
만나 본다.

작품   『이상한 나라의 앨리스』

『거울 나라의 앨리스』

Alice's
Adver
wonde

CHAPTER 1
DOWN THE RABBIT-HOLE

토끼 굴 속으로

: 병목에는 큼직하고 예쁜 글씨로 〈나를 마셔요〉라고 적힌 흰 종이 꼬리표가 묶여 있었다.

앨리스는 언니와 함께 강둑에 앉아 있다가 옷을 입고 회중시계를 보는 하얀 토끼를 따라 굴속으로 들어간다. 굴 아래에는 여러 개의 문이 있다. 작은 문 너머의 정원으로 나가고 싶은 앨리스는 〈나를 마셔요〉라고 적힌 병의 내용물을 마신다. 그러자 앨리스의 몸이 작게 줄어든다. 하지만 열쇠는 탁자 위에 있어서 문을 열 수가 없게 된다. 그때 〈나를 먹어요〉라는 글자가 새겨진 케이크가 앨리스의 눈에 띈다.

CHAPTER 2
THE POOL OF TEARS

눈물 웅덩이

: 「갈수록 신기해지네!」 앨리스가 소리쳤다.

케이크를 먹자 앨리스는 다시 커지고, 열쇠로 문을 열고도 몸이 너무 커서 옴짝달싹하지 못한다. 어찌할 수 없게 된 앨리스가 눈물을 흘린다. 이때 하얀 토끼가 장갑과 부채를 들고 허둥지둥 지나가다 손에 든 것들을 떨어뜨린다. 그것을 주워 부채질을 하자 앨리스의 몸이 작아진다. 이번에는 너무 작아져서 자신이 흘렸던 눈물 웅덩이에 빠져 버린다.

CHAPTER 3
CAUCUS-RACE AND A LONG TALE

코커스 경주와 긴 이야기

: 웅덩이 기슭에 모인 동물들의 모습은 정말이지 신기해 보였다.

웅덩이 기슭으로 빠져나오자 동물들이 몸을 말리고 있다. 원 모양으로 빙글빙글 달리는 코커스 경주로 몸을 말리자는 도도새의 제안에 동물들이 달리기 시작한다. 그러다가 누가 이긴 거냐는 질문이 나오고, 도도새가 〈우리 모두〉가 이겼으니 〈저 아이〉가 상을 줄 거라며 앨리스를 가리킨다. 이때 앨리스는 자신의 고양이 이야기를 꺼내고, 동물들은 겁을 먹고 뿔뿔이 흩어진다.

CHAPTER 4
THE RABBIT SENDS IN A LITTLE BILL

토끼가 작은 빌을 들여보내다

: 키는 계속 자랐고, 이제 더는 어쩔 수가 없어서 한 팔을 창문 밖으로 내밀고
한쪽 발은 굴뚝으로 밀어 넣었다.

작고 아담한 집에 도착한 앨리스는 또다시 병을 발견한다. 병의 내용물을 마시자 몸이 집에 꽉 찰 만큼 커진다. 창밖으로 길게 뻗어 나온 앨리스의 팔을 보고 하얀 토끼가 하인 도마뱀을 굴뚝으로 들여보낸다. 앨리스가 발길질로 도마뱀을 차버리자, 조약돌이 창문으로 쏟아져 들어오더니 작은 케이크로 변한다. 케이크를 먹고 몸이 작아진 앨리스는 숲속으로 달아난다.

CHAPTER 5
ADVICE FROM A CATERPILLAR

애벌레의 조언

: 애벌레와 앨리스는 잠시 아무 말 없이 서로를 바라보았다.

버섯 위에 앉아 물담배를 피우던 애벌레가 앨리스에게 〈넌 누구니?〉라고 묻는다. 몸의 크기가 자꾸 변해서 혼란스러운 앨리스에게 애벌레는 버섯을 먹고 몸이 커지거나 작아지는 방법을 가르쳐 준다. 버섯을 먹고 목이 엄청나게 길어진 앨리스는 비둘기의 공격을 받는다.

CHAPTER 6
PIG AND PEPPER

돼지와 후추

:「공작부인께 전해 주세요. 여왕 폐하가 보내시는 크로케 경기 초대장입니다.」

앨리스는 공작부인의 집에 도착한다. 집 앞에서 물고기 하인과 개구리 하인이 같은 이야기를 반복하고 있다. 안으로 들어가자 요리사가 음식에 온통 후춧가루를 치는 바람에 아기가 울음을 그치지 않는다. 공작부인은 아기를 앨리스에게 맡긴 뒤 크로케 경기장으로 향한다. 앨리스가 밖으로 데리고 나오자 아기는 돼지로 변신한다. 앨리스는 체셔 고양이를 만나 대화를 나눈다.

CHAPTER 7
A MAD TEA-PARTY

아주 이상한 다과회

: 앨리스가 마지막으로 돌아봤을 때 3월 토끼와 모자 장수는
겨울잠쥐를 찻주전자에 넣으려 하고 있었다.

앨리스는 3월 토끼와 모자 장수, 겨울잠쥐가 모여 다과회를 하는 곳으로 다가간다. 시간
은 없이 날짜만 나오는 시계, 답 없는 수수께끼, 의인화된 시간 등 엉뚱한 이야기가 난무한
다. 앨리스는 예의 바르게 행동하며 자리를 지키다가 모자 장수의 무례한 이야기에 참지
못하고 그곳을 빠져나온다.

CHAPTER 8
THE QUEEN'S CROQUET-GROUND

여왕의 크로케 경기장

: 여왕은 화가 나서 잠깐 야생 동물처럼 앨리스를 쏘아보더니 소리를 지르기 시작했다.
「저 아이의 목을 쳐라!」

앨리스는 하트 여왕의 크로케 경기장에 도착한다. 여왕의 행렬이 도착하고, 하트 여왕은 아무에게나 화를 내며 목을 치라고 명령한다. 그러다가 앨리스의 말이 버릇없다고 생각했는지 저 아이의 목을 베라고 외친다. 경기가 진행되는 와중에 사형 집행인이 공작부인을 데려온다.

CHAPTER 9
THE MOCK TURTLE'S STORY

가짜 거북 이야기

: 드디어 가짜 거북이 크게 한숨을 내쉬더니 이야기를 시작했다.
「예전에는 내가 진짜 거북이었어.」

크로케 경기장에 있던 모두가 사형 선고를 받고 사라진다. 그 자리에 남은 앨리스에게 하트 여왕은 그리핀을 타고 가짜 거북을 만나러 가라고 명령한다. 그리핀은 앨리스를 가짜 거북에게 데려다준다. 가짜 거북은 눈물을 흘리고 있다. 그리핀이 설명한다. 「다 혼자 상상하는 거야. 슬퍼할 일 같은 건 하나도 없단 말이지!」

CHAPTER 10
THE LOBSTER QUADRILLE

바닷가재의 카드리유

: 오리가 눈꺼풀로 그러듯 바닷가재는 코로 벨트와 단추를 매만지고 발가락을
바깥으로 구부리지.

가짜 거북은 신나는 춤인 〈바닷가재의 카드리유〉를 알려 준다. 춤추고 노래하고 시도 외
우면서 재미있게 이야기를 나누는데 재판을 시작한다는 외침이 들려온다. 앨리스는 황급
히 하트 여왕에게 되돌아간다.

CHAPTER 11
WHO STOLE THE TARTS?

누가 타르트를 훔쳤나?

: 왕의 말이 끝나기 무섭게 모자 장수는 신발도 미처 신지 못하고 부리나케 법정을 나갔다.

법정에 도착하자 왕과 여왕, 배심원, 그리고 군중이 모여 있다. 중앙 탁자에 타르트가 놓여 있고, 잭이 묶인 채 서 있다. 재판관은 왕이다. 하얀 토끼가 〈잭이 하트 여왕의 타르트를 훔쳤다〉는 내용의 고소장을 읽는다. 모자 장수와 공작부인의 요리사가 증인으로 나서고, 마지막 증인으로 앨리스의 이름이 불린다.

CHAPTER 12
ALICE'S EVIDENCE

앨리스의 증언

: 앨리스는 이름이 불리는 순간 너무 당황한 나머지 지난 몇 분 동안 몸이 얼마나 커졌는지 까맣게 잊고 벌떡 일어나는 바람에 배심원석이 치맛자락에 걸려 뒤집어졌다.

증인으로 나선 앨리스는 별다른 근거 없이 잭을 처형하려는 데 반대한다. 여왕이 저 아이의 목을 베라고 명령하자 앨리스가 외친다. 「당신들은 그냥 카드 묶음일 뿐이에요!」 이 말에 카드들이 일제히 공중으로 솟구쳐 앨리스에게 날아온다. 앨리스가 손으로 카드들을 쳐내다가 눈을 뜨니 자신이 언니의 무릎 위에서 자고 있었다. 앨리스는 언니에게 이상한 모험 이야기를 들려준다.

gh

oking

Glass

거울 나라의 앨리스

CHAPTER 1
LOOKING-GLASS HOUSE

거울 속의 집

: 앨리스는 거울을 통과해 거울 속 방으로 사뿐히 뛰어내렸다.

앨리스는 하얀 고양이 〈스노우드롭〉, 검은 고양이 〈키티〉와 함께 놀다가 벽난로 위에 올라간다. 그리고 거울을 통과해 거울 나라로 들어간다. 앨리스가 넘어온 세계에서 얌전히 놓여 있던 체스 말들이 거울 나라에서는 살아 움직인다. 앨리스는 탁자 위에 놓인 책을 넘기다가 「재버워키」라는 시를 발견한다.

CHAPTER 2
THE GARDEN OF LIVE FLOWERS

살아 있는 꽃의 정원
: 「와, 참나리다! 너희가 말을 할 수 있었으면 좋겠어!」

앨리스는 화창한 봄의 정원으로 들어간다. 정원에는 말하는 꽃들이 있고, 꽃들은 앨리스를 〈움직이는 꽃〉으로 인식한다. 그러다가 정원 한쪽에서 인간 크기만큼 커진 붉은 여왕을 만난다. 붉은 여왕은 앨리스의 손을 잡고 엄청난 속도로 달려 제자리에 머무른다. 그러고 나서 앨리스에게 여왕이 되기 위해 이동해야 할 칸들을 알려 준 뒤 사라진다.

CHAPTER 3
LOOKING-GLASS INSECTS

거울 나라 곤충들

:「저기 덤불 조금 못 가면 흔들목마파리가 있어. 네가 볼 수 있다면 말이야.」

둘째 칸에서 시작한 앨리스는 네 번째 칸으로 이동하는 기차에 탑승한다. 그리고 모기를 만나 거울 나라의 곤충들에 대해 배운다. 앨리스는 〈이름들이 없는 숲〉을 건너게 되고, 거기서 자기처럼 정체성을 잃어버린 사슴을 만난다. 둘은 함께 숲이 끝나는 공터에 다다르지만, 앨리스가 인간임을 알게 된 사슴은 쏜살같이 달아나 버린다.

CHAPTER 4
TWEEDLEDUM AND TWEEDLEDEE

트위들덤과 트위들디

: 둘은 서로 상대방의 목에 팔을 두르고 서 있었고, 앨리스는 누가 누구인지
금방 알아볼 수 있었다.

앨리스는 쌍둥이 형제인 트위들덤과 트위들디의 집으로 향한다. 그들에게 숲을 빠져나가
는 길을 묻지만, 그들은 나무 아래에서 코를 골며 자고 있는 붉은 왕에 대해 이야기한다.
그리고 앨리스가 붉은 왕의 꿈에 존재하는 인물이라고 주장한다. 발끈한 앨리스가 떠나려
는 순간, 두 형제는 새 방울을 두고 다투다가 거대한 까마귀에게 쫓겨 달아난다.

CHAPTER 5
WOOL AND WATER

양털과 물

: 얼마 안 가서 한쪽 노가 물속에 단단히 박혀 나오지 않으려 했다.

앨리스는 숲에서 하얀 여왕과 만난다. 하얀 여왕은 결과가 먼저 오고 원인이 나중에 오는, 거울 나라의 시간에 대해 설명한다. 앨리스는 개울을 건너 체스 판의 다섯 번째 칸으로 이동하고, 하얀 여왕은 말하는 양으로 변신한다. 앨리스가 양을 태운 배의 노를 젓는데, 강이 순식간에 사라진다. 어두운 가게 안에 남은 앨리스는 달걀을 사기로 한다.

CHAPTER 6
HUMPTY DUMPTY

험프티 덤프티

: 험프티 덤프티는 입이 찢어질 정도로 웃으며 몸을 앞으로 내밀고
앨리스에게 손을 내밀었다.

달걀이 점점 커지더니 담벼락 위에 앉은 험프티 덤프티로 변한다. 험프티 덤프티는 특유의
거만함으로 시종일관 앨리스를 깔보면서 「재버워키」에 나오는 단어들을 자신만의 방식으
로 해석하여 들려준다.

CHAPTER 7
THE LION AND THE UNICORN

사자와 유니콘

: 「넌 동물이냐…… 식물이냐…… 아니면 광물이냐?」

앨리스는 숲에서 빠져나오다가 하얀 왕과 만난다. 두 사람은 사자와 유니콘이 왕관을 놓고 싸우는 광경을 구경하러 달려간다. 사자는 앨리스를 〈괴물〉이라 부르며 플럼 케이크를 나눠 달라고 요청한다. 앨리스가 케이크를 〈먼저 나눠 주고 다음에 자르는〉 방식으로 나누는 사이, 주위에 북소리가 울려 퍼진다. 이에 겁이 난 앨리스는 개울을 뛰어넘는다.

CHAPTER 8
"IT'S MY OWN INVENTION"

「그건 내가 발명한 거야」

: 「어떻게 나도 모르는 사이에 이것이 머리에 있을 수 있지?」

붉은 기사가 하얀 졸인 앨리스를 잡으려 하자 하얀 기사가 나타나 그녀를 구해 준다. 하얀 기사는 마지막 개울을 건너기 전까지 앨리스를 호위하는데 그 와중에 계속해서 말에서 떨어진다. 자신이 만든 긴 노래를 들려준 뒤 하얀 기사는 숲으로 떠나고, 앨리스는 개울을 뛰어넘어 여덟 번째 칸으로 이동한다. 어느새 앨리스의 머리에 황금 왕관이 씌워 있다.

CHAPTER 9
QUEEN ALICE

앨리스 여왕

: 힘껏 당기자 쟁반과 접시, 손님, 촛대들이 모두 바닥으로 우르르 떨어지며
요란한 소리를 냈다.

앨리스는 〈앨리스 여왕〉이라고 적힌 아치문을 발견한다. 문이 열리고 연회장에 하얀 여왕
과 붉은 여왕이 자리하고 있다. 음식을 주문하는 일로 앨리스와 여왕들 사이에 쟁탈전이 벌
어지고, 분노한 앨리스는 식탁보를 잡아당긴다. 앨리스가 〈이 모든 소란의 장본인〉인 붉은
여왕을 돌아보는데, 그녀는 작은 인형만 한 크기로 줄어들어 식탁 위에서 뛰고 있다.

CHAPTER 10
SHAKING

흔들기

: 앨리스는 붉은 여왕을 식탁에서 들어 올려 힘껏 앞뒤로 흔들었다.

앨리스는 붉은 여왕을 식탁에서 들어 올려 힘껏 앞뒤로 흔들고, 여왕은 아무런 저항도 하지 않는다. 다만 점점 작아지고, 통통해지고, 부드러워진다.

CHAPTER 11
WAKING

깨어나기

: 그리고 정말로 아기 고양이가 되었다.

그리고 붉은 여왕은 아기 고양이가 된다.

CHAPTER 12
WHICH DREAMED IT?

그건 누구의 꿈이지?

: 앨리스는 세수를 하는 하얀 아기 고양이를 바라보았다.

꿈에서 깨어난 앨리스는 키티가 붉은 여왕이고, 스노우드롭이 하얀 여왕이었을 거라고 추측한다. 앨리스는 키티를 향해 꿈을 꾼 것이 자신인지, 아니면 붉은 왕인지 질문을 던진다.

She noticed a curious
appearance in the air

어디로 뻗어 나갈지 모르는 캐릭터와 사건들을 마주하면서 앨리스는 당황하면서도 은근히 신이 난다. 이번 전시는 그런 앨리스를 그려 낸 예술가 26인의 북아트 32종을 선보인다. 제각기 시대와 배경이 다른 예술가들이 만들어 낸 앨리스를 북아트 작품으로 만나 보면서, 독자는 각자의 삶에서 생겨났다가 사라진 동심의 조각을 모아 나만의 앨리스를 만들어 볼 수 있다. 그 조각은 마냥 쾌활하거나 해맑지만은 않을 것이다. 이기적인 호기심일 수도 있고, 세상에 대한 두려움이 적절히 해소되지 않아 트라우마로 자리 잡은 공포일 수도 있다. 눈앞의 즐거움에 매몰된 광기일 수도 있다. 이미 성인이 된 독자가 여전히 어린아이의 마음을 순수하고 경쾌하게 탐구해 볼 기회를 앨리스의 〈원더랜드〉에서 만나길 바라며, 그 원더랜드를 이해하는 데 도움이 될 만한 여덟 가지 키워드를 제안한다. 이를 통해 또 다른 앨리스가 탄생할 것이라고 기대한다. 우리는 모두 한때 이상한 나라에 있었기 때문이다.

전시   앨리스 북아트전

We're All mad Here

어린 소녀, 굴 속에 떨어짐, 커지고 작아지는 몸, 말하는 토끼와 고양이, …… 〈앨리스〉라는 이 환상적 이야기는 압도할 만한 이미지들과 함께 책으로뿐만 아니라 영화나 전시로도 독자에게 끊임없이 다가간다. 그러나 한편 이런 생각이 든다. 계속 재탄생하는 이 〈소설〉을 우리는 제대로 알고 있을까? 리바이벌되고 복제되면 원본의 선명도나 의도가 조금씩 흐려지게 마련이니까.

...에게 충격을 줬고(실바도르 달리), 또한 미지의 영역이라 쉽게 휘발되고 공허함... 의식 속 유희를 어엿한 장르로 자리잡도록 하여 이후 등장한 〈환상 문학〉의 틀로서 참고·인용 되었다. 독자들도 이제부터 잘 살펴보시라. 세계 문학사가 흐르는 곳에 이 호기심 충만한 소녀는 꼭 언급된다.

총 33종의 앨리스 북아트와 함께 〈앨리스〉를 소개한다. 관람 포인트는 〈두 시선〉이다. 〈순수한 소녀의 모험담〉을 담은 동화 이면의 완전히 반대되는 시선을 이번 전시에 끌어온다. 양면의 동전처럼 이 소설은 어린이의 시선과 어른의 시선이 동시에 존재하는 운명을 지녔다. 한 어린이가 이 소설에 푹 빠져 자신이 마치 앨리스가 된 것처럼 이입을 한다면, 처음엔 흥미를 느끼다가도 스멀스멀 올라오는 이상한 공포를 느낄 것이다. 잘 따져 보면 아이에게 이 상황들은 실로 기괴하고 잔혹한 실존적 고민이 된다. 하지만 동전 뒷면에 존재하는 논리와 창의라는 개념을 인지하는 어른의 시선이라면 유희 넘치고 재기발랄한 이야기로서, 거대한 메타포이자 환상 문학이 된다.

전시장에 흩어 놓은 키워드와 장면들을 상상해 보길 권한다. 우리는 공포와 유희가 충돌하는 그 지점에서, 냉탕 온탕을 선택적으로 왔다 갔다 하듯 이 작품을 맛볼 수 있다. 낯섦(어린이들이 느끼는 은근한 공포)과 익숙함(어른들이 느끼는 유희) 사이가 〈문학이 위치해야만 하는 자리〉가 아닐까.

살바도르 달리

앨리스

북아트 전

- 마리 로랑생
토베 얀손
쿠네요시 가네코

현실과 초현실을 지나는 앨리스

루이스 캐럴

베리 모저
랄프 스테드먼

살바도르 달리
막스 에른스트

존 테니얼
쿠사마 야요이

23
04.21 Fri

23
Sun 07.30

90

division   drawing   sketching

derision   drawling   stretching

Anderson's Alice

Dali and Alice's World

달리와 앨리스의 비정상 세계

토끼 굴에 떨어져 앨리스가 갑작스레 당도한 미지... 이질감을 느낀다. ...
〈이상한〉 법칙들의 세상에서 앨리스는 스스로가 어떠한 존재인지를 질문하기도
이해해 보려고 분투하고 그 과정에서 스스로가 또 하나의 〈이상한〉 존재일뿐, 그 이상도 그
...다. 그러나 그 세상에서 〈이상함〉과 〈평범함〉이 되어 버리기 때문이다. 주변의
이유도 아니다. 그곳에서 〈이상함〉이 여기든 자신에게 익숙하던 세상과는 정반대로
작용되는 기묘한 법칙들은 앨리스를 당황시킨다. 하지만 동심으로 가득한
당차고 의연한 이 소녀는 자신만의 영동하고도 유연한 사고와 재치를 발휘해
한 단계 한 단계 두려움 없이 앞으로 나아가 자신의 내부와 외부의 세계를 확장해
나간다. 〈살바도르 달리Salvador Dali〉 역시, 기묘한 법칙들을 세운 자신만의
세상 속에 사는 초현실주의 대표 예술가이다. 앨리스가 토끼 굴을 통해 이상한
나라로 연결되었다면, 살바도르 달리는 그의 붓을 통해 이상한 나라를 선명하게
만든다. 비논리적 이미지가 결합하면 정상적 사고로는 인식할 수 없는 세계를
발견할 것이라고 생각한 달리는, 앨리스의 토끼 굴 역시 인간에게 해방감을
주고, 인식의 지평을 넓히는 공간이라고 생각했다. 1965년 랜덤하우스의
소개로 〈앨리스〉를 만나면서 달리는 자신의 작품 세계에서 중요한 역할을
하는 상징 하나를 그 소녀에게 부여한다. 그 상징은 달리가 열 살 때, 평범했던
저녁 식사 자리에서 사촌누나 캐롤리나가 병으로 사망했다는 소식을 듣는
데에서 시작됐다. 평범하고 안정적이었던 일상생활 속에서 갑자기 들은 가족의
죽음은 어린 그에게는 생경한 경험이고, 자연스럽게 감당해서 넘겨 버리기엔
어려웠다. 그는 20대 중후반 무렵부터 작품에 그 소화되지 못한 일상 속 죽음을
줄 넘는 소녀로 등장시켜 기념하기로 했다. 그가 〈앨리스〉 삽화 의뢰를 받았을 때
역시 죽음과 생명의 양면 사이에서 끊임없이 순환하는 줄 넘는 소녀의 이미지를
앨리스에 투사한다. 몸 속 비논리의 세계와 거울 이면의 정반대의 세상에서도
왕성한 호기심을 동력으로 탐험을 지속하는 그 소녀에게 영원한 활력과 긴장을
선사함으로써 죽음과 생명, 단단함과 부드러움, 현재와 영원, 현실과 환상 등
정반대의 경계를 집약하는 상징성을 부여하는 것이다. 가족의 죽음에서 시작된
수 없는 긴장감과 생명이 동시에 뒹겨나갈 듯 줄넘기하는, 불안하고 예상할
논리가 되고, 비정상이 정상이 되고, 점(죽음)으로 재탄생되었다. 비논리가
빛부 이상한 나라의 앨리스가, 초현실주의 세계에서 활력 넘치는 세계를
초현실주의 상징으로 더욱 굳건한 문학사의 기념비가 된다. 달리의 세계를 만나면서

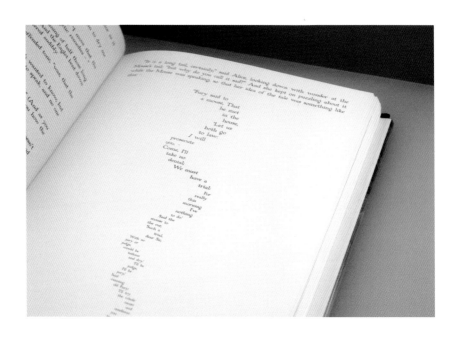

'It is a long tail, certainly,' said Alice, looking down with wonder at the Mouse's tail; 'but why do you call it sad?' And she kept on puzzling about it while the Mouse was speaking, so that her idea of the tale was something like this:—

        'Fury said to
        a mouse, That
            he met
            in the
            house,
        "Let us
        both go
        to law:
        I will
    prosecute
    you.
    Come, I'll
    take no
    denial;
    We must
        have a
        trial:
            For
            really
            this
            morning I've
            nothing
            to do."
        Said the
        mouse to
        the cur,
        "Such a
        trial,
    dear Sir,
    With no
    jury or
    judge,
    would be
    wasting
    our
    breath."
        "I'll be
        judge,
        I'll be
        jury,"
            Said
            cunning
            old Fury:
            "I'll
            try the
            whole
            cause,
            and
            condemn
            you
            to
            death."'

95

앨리스의 대화들

『이상한 나라의 앨리스』에서 애벌레가 앨리스에게 던지는 첫 질문은 〈넌 누구냐〉는 것이다. 앨리스가 자신이 누구인지 말하지 못하자 애벌레는 같은 질문을 집요하게 되풀이하며 앨리스의 기분을 상하게 한다. 반면 현란한 언어유희를 펼치는 가짜 거북과의 대화는 재미를 선사한다. 소의 머리와 발굽, 꼬리를 가진 가짜 거북은 그 이름부터 말장난의 산물이다. 대화 내내 가짜 거북은 자신이 진짜 거북이던 시절에 받았던 정규 교육 과정을 설명하며, 유사한 발음의 단어들 사이에서 언어유희를 펼친다.

『거울 나라의 앨리스』에서 트위들 형제와 험프티 덤프티는 고차원적 대화로 독자에게 질문을 던진다. 숲에서 만난 트위들덤과 트위들디는 앨리스가 숲에서 자고 있는 붉은 왕의 꿈에 등장하는 존재이며, 왕이 잠에서 깨어나면 촛불처럼 꺼져 버릴 것이라고 주장한다. 〈누가 누구의 꿈인가〉에 대한 이 유명한 논쟁은 앨리스와 독자들을 형이상학적 심연으로 빠뜨린다. 높은 담벼락 위에 아슬아슬하게 앉아 있는 달걀 모양의 험프티 덤프티는 자만심과 권위 의식에 사로잡힌 캐릭터로 말싸움의 선수이다. 그에게 단어의 의미는 〈누가 주인이 되느냐〉의 문제이다. 자존심이 강한 동사를 비롯하여 성격이 있는 단어들을 전부, 절대적으로 다룰 수 있다고 주장하는 험프티 덤프티는 달변가이자 궤변가이며 언어적인 문제에 관한 한 가장 능숙한 철학자이다.

이처럼 앨리스는 다양한 캐릭터들과 대화하며 환상 세계에서 모험을 이어 나간다. 앨리스가 마주치는 대상들은 마냥 친절하지만은 않다. 이들과의 대화는 자주 비상식적이고 기괴하며, 이들의 엉뚱함과 비아냥거림에 앨리스의 작은 머리는 자주 복잡해진다. 루이스 캐럴의 언어와 논리, 재치가 뒤섞인 대화는 다양한 캐릭터들의 심리 상태를 드러내며 상상의 세계를 더욱 생동감 있게 만드는 역할을 한다.

CONVERSATIONS

PETER NEWELL
MARIA LOUISE KIRK
ARTHUR RACKHAM
CHARLES ROBINSON

피터 뉴웰
마리아 루이즈 커크
아서 래컴
찰스 로빈슨

미국 출신의 일러스트레이터 피터 뉴웰은 1901년 『이상한 나라의 앨리스』, 1902년 『거울 나라의 앨리스』를 출간했다. 그는 풍자와 유머를 겸비한 정치 만화를 그리기도 하면서 대중의 지지를 받았다. 특히 독특한 아이디어를 책에 접목시켜 마름모꼴로 기울어진 책, 구멍을 뚫은 책, 거꾸로 보는 책 등 입체적인 형태의 그림책을 만들기도 했다.

그의 연필 드로잉은 존 테니얼의 펜화보다 따뜻하고 부드러운 느낌을 준다. 각 그림에 소설 속 문장이나 대화가 한 구절씩 삽입되어 그림 속 상황에 빠져들게 만든다. 앨리스는 주의 깊은 표정으로 등장인물들의 해괴한 논리와 언어에 귀를 기울이며, 이상한 나라와 거울 나라를 호기심 어린 눈으로 바라본다.

크리스마스 기프트북으로 기획된 이 책들은 장식적인 요소가 눈에 띈다. 표지 하단에 금박 엠보싱으로 그려진 앨리스가, 책 속의 텍스트를 감싼 세이지그린 장식 프레임이 눈길을 끈다. 『이상한 나라의 앨리스』의 장식 프레임에는 토끼와 고양이, 플라밍고와 거북이 등이 그려져 있다. 『거울 나라의 앨리스』의 장식 프레임에는 험프티 덤프티, 유니콘, 여왕과 왕 등을 비롯하여 케이크 같은 사물이 등장한다.

피터 뉴웰은 검은 머리칼을 지닌 자신의 딸을 모델로 하여 앨리스를 그렸다. 이 책의 앨리스는 머리칼이 한 올 한 올 섬세하게 묘사되어 실제 인물과 같은 생동감을 전해 준다. 그와 달리 과장되거나 유머러스하게 표현된 캐릭터들이 대비를 이루면서 매력을 더한다.

『이상한 나라의 앨리스』
Alice's Adventures in Wonderland
『거울 나라의 앨리스』
Through the Looking-Glass
피터 뉴웰 Peter Newell
Harper and Brothers, 1901, 1902, 뉴욕

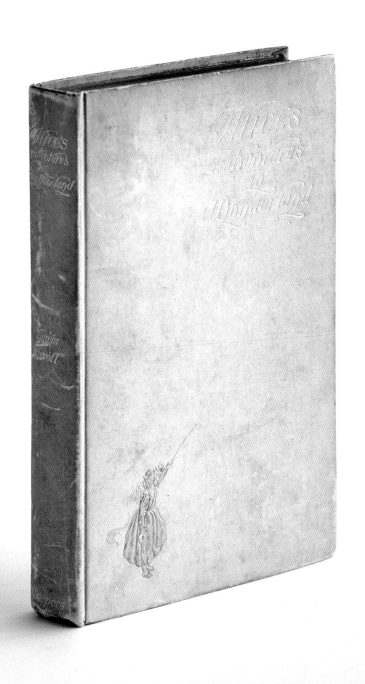

101

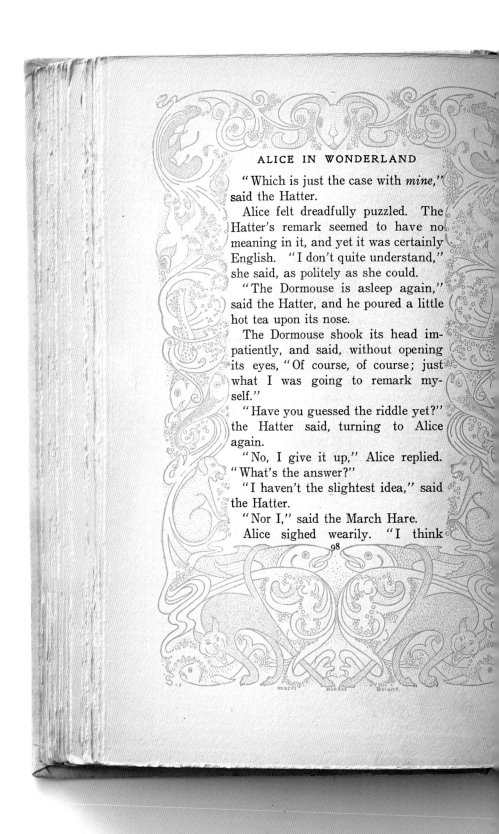

"Which is just the case with *mine,*" said the Hatter.

Alice felt dreadfully puzzled. The Hatter's remark seemed to have no meaning in it, and yet it was certainly English. "I don't quite understand," she said, as politely as she could.

"The Dormouse is asleep again," said the Hatter, and he poured a little hot tea upon its nose.

The Dormouse shook its head impatiently, and said, without opening its eyes, "Of course, of course; just what I was going to remark myself."

"Have you guessed the riddle yet?" the Hatter said, turning to Alice again.

"No, I give it up," Alice replied. "What's the answer?"

"I haven't the slightest idea," said the Hatter.

"Nor I," said the March Hare.

Alice sighed wearily. "I think

"He dipped it into his cup of tea and looked at it again"

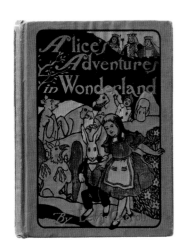

미국의 화가 마리아 루이즈 커크는 처음으로 다양한 색상을 활용하여
앨리스를 그린 일러스트레이터이다. 그녀는 『하이디』, 『피노키오』, 『비밀의
정원』 등의 일러스트를 그렸다. 이 책에는 존 테니얼의 흑백 일러스트에
루이즈 커크가 그린 12점의 컬러 일러스트가 수록되어 있다. 책을 펼치면 각
장마다 다채로운 컬러 일러스트를 만나는 기쁨을 누릴 수 있다.
이 책의 앨리스는 트럼프 카드를 연상시키는 프레임 안에서 노란 원피스를
입고 작은 앞치마를 걸친 사랑스러운 모습이다. 생생하게 빛나는 앨리스가
어두운 배경과 대비를 이룬다. 그녀가 그린 앨리스는 고전적이고 양식화되어
있지만, 동시대 일러스트에서 보이는 아르누보*의 영향이 거의 보이지
않는다. 1904년 출간 당시에는 무엇보다 어린이 독자를 열광시킬 만한
책이라는 호평을 얻었다.

『이상한 나라의 앨리스』
Alice's Adventures in Wonderland
마리아 루이즈 커크 Maria Louise Kirk
Frederick A. Stokes Company, 1904, 뉴욕

* art nouveau. 19세기 말기에서 20세기 초기에 걸쳐 유행한 유럽의 새로운 예술 양식. 식물의
형태에서 영감을 받아 자연적인 모티프를 중시했으며, 20세기 건축과 디자인에 많은 영향을
미쳤다.

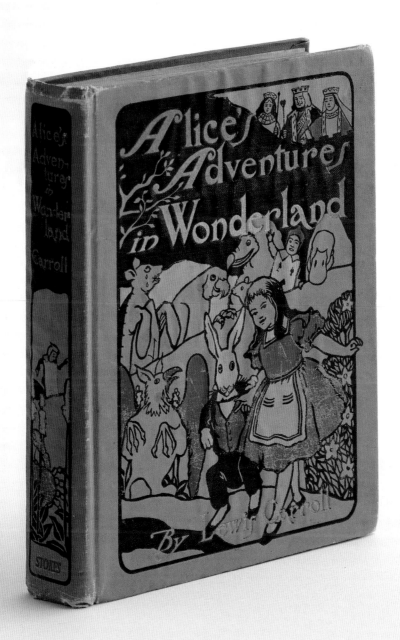

20세기 최고의 일러스트레이터로 꼽히는 아서 래컴은 『이상한 나라의
앨리스』로 시작되는 그림책의 황금기에 독특하고 인상적인 작품들을 남겼다.
그는 주로 펜과 잉크, 수채 물감으로 등장인물들의 표정과 동작을 구조적으로
묘사했다. 이 책에서는 래컴 특유의 부드러운 색조와 확실한 선, 그로테스크한
이야기가 결합되어 몽환적인 분위기를 연출한다. 그는 판화로 재현되던 도서
일러스트에 사진이라는 신기술을 도입한 선구자였다. 이로 인해 섬세하고
유려한 표현이 가능해졌으며, 일러스트가 그 자체로 주목할 만한 예술
작품으로 자리 잡았다.
그가 그린 앨리스는 플로럴 패턴의 시폰 원피스에 검은색 타이츠와 옥스퍼드
슈즈를 신고 있다. 발그레한 볼은 영락없는 소녀의 모습이지만 진중하게
느껴지는 눈빛이 차분하고 강한 의지를 드러낸다. 또한 토끼 얼굴을 지닌
거북이나 독수리의 얼굴과 날개를 지닌 괴수 등 금박을 입힌 환상의 동물들이
기발하게 표현되었다. 그는 종종 자신의 그림에 카메오로 출연하는데, 다과회
장면에서 모자 장수로 활약하는 그의 모습을 찾아볼 수 있다.

『이상한 나라의 앨리스』
Alice's Adventures in Wonderland
아서 래컴 Arthur Rackham
William Heinemann, 1907, 런던

108

1870년 런던에서 태어난 찰스 로빈슨은 형인 토머스 로빈슨, 동생인 윌리엄 로빈슨과 함께 일러스트레이터로 활약했다. 그는 낮에 인쇄공으로 일하면서 저녁에는 미술 수업을 들었다. 그러다가 1896년 로버트 루이스 스티븐슨*의 『어린이 시의 정원』**에 처음으로 1백여 점의 일러스트를 그렸다. 이 책이 대중적으로 성공을 거둔 이후 1백 권이 넘는 책을 작업했다.

그는 루이스 캐럴이 찍은 앨리스 리들의 사진을 보고 최초로 단발머리 앨리스를 그렸다. 러플 칼라의 푸른색 베이비돌 원피스를 입은 앨리스의 모습에서 어린 소녀의 사랑스러움이 묻어난다. 또한 책 곳곳에 자기 자녀들의 모습이 담긴 여덟 점의 컬러 일러스트와 112점의 흑백 일러스트를 남겨 두었다.

*Robert Louis Stevenson. 『보물섬』 『지킬 박사와 하이드 씨』 등을 쓴 스코틀랜드 출신의 작가.
** A Child's Garden of Verses. 어린이의 관점에서 쓰인 시 64편이 담긴 책. 1885년에 처음 출판되어 큰 인기를 끌었고, 오늘날까지 19세기의 가장 영향력 있는 아동 문학 작품으로 꼽힌다.

『이상한 나라의 앨리스』
Alice's Adventures in Wonderland
찰스 로빈슨 Charles Robinson
Cassell & Company, 1907, 런던

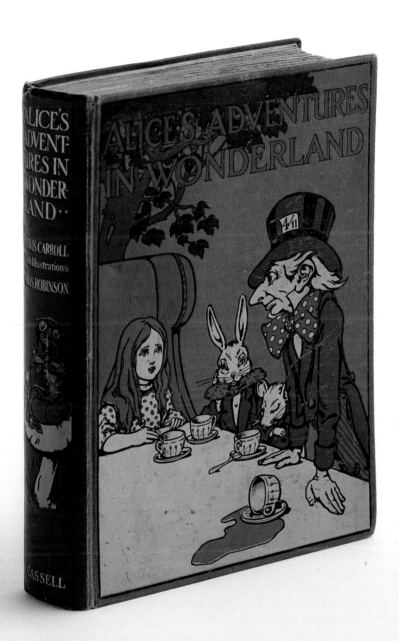

ALL in the golden afternoon,
    Full leisurely we glide;
For both our oars, with
        little skill,
    By little arms are plied,
While little hands make
        vain pretence
    Our wanderings to guide.

Ah, cruel Three! In such an hour,
    Beneath such dreamy weather,
To beg a tale of breath too weak
    To stir the tiniest feather!
Yet what can one poor voice avail
    Against three tongues together?

Imperious Prima flashes forth
    Her edict "to begin it"—
In gentler tone Secunda hopes
    "There will be nonsense in it,"
While Tertia interrupts the tale
    Not *more* than once a minute.

Anon, to sudden silence won,
    In fancy they pursue
The dream-child moving through a land
    Of wonders wild and new,
In friendly chat with bird or beast—
    And half believe it true.

stalk out of a sea of green leaves that lay far below her.

"What *can* all that green stuff be?" said Alice. "And where *have* my shoulders got to? And oh, my poor hands, how is it I can't see you?" She was moving them about as she spoke, but no result seemed to follow, except a little shaking among the distant green leaves.

As there seemed to be no chance of getting her hands up to her head, she tried to get her head down to them, and was delighted to find that her neck would bend about easily in any direction, like a serpent. She had just succeeded in curving it down into a graceful zigzag, and was going to dive in among the leaves, which she found to be nothing but the tops of the trees under which she had been wandering, when a sharp hiss made her draw back in a hurry: a large pigeon had flown into her face, and was beating her violently with its wings.

"Serpent!" screamed the Pigeon.

"I'm *not* a serpent!" said Alice indignantly. "Let me alone!"

All she could see . . . was an immense length of neck

88

A large pigeon had flown into her face.

앨리스의 사건들

2

『이상한 나라의 앨리스』는 인과와 논리를 무너뜨리는 사건들이 촘촘하게 쌓인 도미노의 세계이다. 앨리스는 자신의 신체 변화를 통제할 수 없지만, 크거나 작아진 몸 덕분에 다음 사건으로 나아간다. 아무렇게나 떠드는 것 같은 캐릭터들의 집단적 독백은 점차 비유와 난센스로 읽히기 시작한다. 『거울 나라의 앨리스』에서는 시간과 공간의 개념이 중요하다. 앨리스는 거울을 통과하며 실재 세계의 이면을 발견하고, 과거와 미래를 동시에 경험하며, 시간의 역행을 체험하면서 시공간의 개념에 대한 철학적인 질문을 던지게 된다. 두 세계는 앨리스가 맞닥뜨리는 상황과 마주하는 만남으로 요약될 수 있는 〈사건들〉의 연속이다. 이 다양한 사건들은 여러 가지 의미를 담고 있는데, 일부는 루이스 캐럴이 의도한 것이고 일부는 독자의 해석에 따라 달라질 수 있다. 현실과 상상의 모호한 경계는 신체 변화를 통해 자아와 정체성의 탐구와 연결되기도 하고, 이상한 캐릭터들을 만나면서 맞닥뜨리게 되는 비논리적인 상황, 무의미한 대화와 의사소통의 한계는 현실 세계의 불합리하거나 모순된 사회 규범에 대한 은유가 될 수 있다. 무엇보다 이상한 사건들은 앨리스에게 현실 세계의 제약과 한계를 넘어서는 자유로움과 상상력을 안겨 준다. 환상적인 방식으로 한 세계에서 다른 세계로 이동하고, 다양한 존재들을 만나거나 신체적인 변화를 겪으며, 일반적인 규칙이 통하지 않는 혼돈과 무의미의 공간에서 자신의 경험과 인식을 바꾸어 나가는 앨리스를 따라가며 독자들은 때로는 어린이의 몸으로, 때로는 어른의 머리로 자신의 생각과 믿음에 질문을 던지게 된다.

INCIDENTS

BLANCHE MCMANUS JOHN TENNIEL CHARLES VAN SANDWYK

블랜치 맥매너스
존 테니얼
찰스 반 샌드윅

1900년 뉴욕에서 출판된 『이상한 나라의 앨리스와 거울 나라의 앨리스』
합본이다. 미국의 작가이자 예술가인 블랜치 맥매너스가 삽화를 그렸다.
1869년 미국에서 태어난 그녀는 런던과 파리에서 예술을 공부하고,
시카고로 건너와 책과 정기 간행물의 삽화가로 활동했다. 그녀는 존 테니얼
이후 처음으로 『이상한 나라의 앨리스』의 삽화를 그린 일러스트레이터였다.
당시 미국에서는 저작권 제한 없이 영국 도서를 출판할 수 있었고, 이 책은
앨리스의 저작권 시효가 만료된 1907년보다 앞서 1900년에 출판되었다.
초판은 『이상한 나라의 앨리스』와 『거울 나라의 앨리스』 두 권 세트로
발행되었다. 이때는 『이상한 나라의 앨리스』에 12점, 『거울 나라의 앨리스』에
10점으로 총 22점의 일러스트가 수록되었다. 이듬해인 1900년판 합본에는
각 여덟 점씩 16점의 엄선된 일러스트가 남았다.
이 책에서 앨리스는 검고 구불거리는 단발머리에 주황색 원피스를 입은
성숙한 모습으로 표현된다. 기존의 천진난만한 모습과는 사뭇 다르지만
주황색과 초록색, 검은색의 세 가지 색상으로 그려진 일러스트가 작품에
생기를 더한다.

『이상한 나라의 앨리스와 거울 나라의 앨리스』
Alice in Wonderland & Through the
Looking-Glass
블랜치 맥매너스 Blanche McManus
M. F. Mansfield & A. Wessels, 1900, 뉴욕

Alice's
Adventures in Wonderland
&
Through the Looking-Glass

BY
LEWIS CARROLL

WITH MANY FULL-PAGE ILLUSTRATIONS IN COLOR
BY
BLANCHE McMANUS

A. WESSELS COMPANY
NEW YORK

Adventures in Wonderland

vantage from the change: and Alice was a good deal worse off than before, as the March Hare had just upset the milk-jug into his plate.

Alice did not wish to offend the Dormouse again, so she began very cautiously: "But I don't understand. Where did they draw the treacle from?"

"You can draw water out of a water-well," said the Hatter; "so I think you could draw treacle out of a treacle-well—eh, stupid?"

"But they were *in* the well," Alice said to the Dormouse, not choosing to notice this last remark.

"Of course they were," said the Dormouse—"well in."

This answer so confused poor Alice, that she let the Dormouse go on for some time without interrupting it.

"They were learning to draw," the Dormouse went on, yawning and rubbing its eyes, for it was getting very sleepy; "and they drew all manner of things—everything that begins with an M——"

"Why with an M?" said Alice.

"Why not?" said the March Hare.

Alice was silent.

The Dormouse had closed its eyes by this time, and was going off into a doze; but, on being pinched by the Hatter, it woke up again with a little shriek, and went on: "That begin with an M, such as mousetraps, and the moon, and memory, and muchness—you know you say things are 'much of a muchness'—did you ever see such a thing as a drawing of a muchness?"

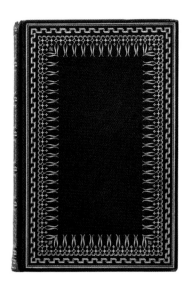

세계적으로 가장 유명한 동화 작가이자 그 자체로 상징적인 존재가 된 루이스 캐럴의 『이상한 나라의 앨리스』이다. 1932년 뉴욕의 리미티드 에디션스 클럽에서 출판되었고, 영국의 삽화가 존 테니얼의 일러스트가 실렸다. 존 테니얼은 만화 잡지 『펀치Punch』에서 50년간 영국 사회를 풍자하는 만화를 그렸다. 그는 위엄 있고 고전적인 형식주의와 만화다운 가벼운 터치를 조화롭게 표현하는 데 탁월했다. 그의 그림은 미처 파악하기 어려운 원작의 세세한 부분을 충실하게 재현해 낸다.

리미티드 에디션스 클럽은 1929년 조지 메이시George Macy에 의해 설립되어 1985년까지 548권의 책을 출판했다. 각각의 책은 고급 용지에 가죽 장정을 하고, 상자나 슬립 케이스에 담아 구독료를 지불하는 클럽 회원들을 대상으로 판매했다. 제인 오스틴, 오노레 드 발자크, 안톤 체호프 등의 고전 문학 작품을 소량 생산했으며, 작가나 일러스트레이터, 발행인, 디자이너의 서명을 싣기도 했다. 특히 대공황기에 파블로 피카소, 앙리 마티스, 아서 래컴 등 세계적인 예술가들이 일러스트를 담당하면서 책의 가치는 더욱 높아졌다.

이 책은 1천 5백 부 한정판으로 출간되었고, 미국의 대표적인 북 디자이너 프레더릭 워드Frederic Warde가 서명을 남겼다. 금박 장식이 새겨진 붉은색 가죽 양장 커버가 특유의 고급스러운 분위기를 보여 준다.

『이상한 나라의 앨리스』
Alice's Adventures in Wonderland
존 테니얼 John Tenniel
Limited Editions Club, 1932, 뉴욕

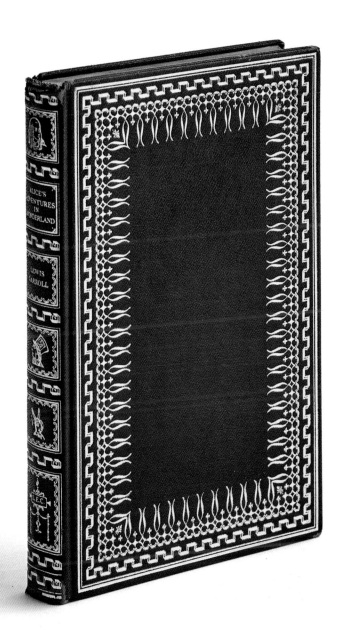

ALICE'S ADVENTURES IN WONDERLAND

BY LEWIS CARROLL
ILLUSTRATED BY JOHN TENNIEL

NEW YORK
THE LIMITED EDITIONS CLUB
1932

---

manner, smiling at everything that was said, and went by without noticing her. Then followed the Knave of Hearts, carrying the King's crown on a crimson velvet cushion; and, last of all this grand procession, came

THE KING AND QUEEN OF HEARTS.

Alice was rather doubtful whether she ought not to lie down on her face like the three gardeners, but she could not remember ever having heard of such a rule at processions; "and besides, what would be the use of a procession," she thought, "if people had all to lie down on their faces, so that they couldn't see it?" So she stood where she was, and waited.

When the procession came opposite to Alice, they all stopped and looked at her, and the Queen said severely, "Who is this?" She said it to the Knave of Hearts, who only bowed and smiled in reply.

"Idiot!" said the Queen, tossing her head impatiently; and, turning to Alice, she went on, "What's your name, child?"

"My name is Alice, so please your Majesty," said Alice very politely; but she added, to herself,

112

"Why, they're only a pack of cards, after all. I needn't be afraid of them!"

"And who are *these?*" said the Queen, pointing to the three gardeners who were lying round the rose-tree; for you see, as they were lying on their faces, and the pattern on their backs was the same as the rest of the pack, she could not tell whether

113

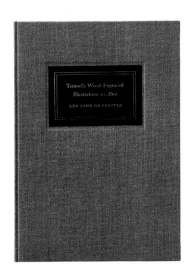

1988년 런던의 맥밀런 출판사에서 기획하고 로켓 프레스에서 제작한 『존 테니얼의 이상한 나라의 앨리스와 거울 나라의 앨리스 삽화』이다. 부제에 이 책의 그림들은 원본 목판으로 인쇄했다고 명시하고 있다. 존 테니얼이 그린 일러스트는 당시 영국에서 가장 유명했던 목판화 공방의 달지엘 형제Dalziel Brothers에게 보내졌다. 이 책은 달지엘 형제의 오리지널 목판으로 인쇄한 판화 91점이 담긴 250부 한정판이다.

『이상한 나라의 앨리스』와 『거울 나라의 앨리스』 두 권의 책으로 구성되어 있으며, 두꺼운 슬립 케이스에 담겨 있다. 두 책에는 존 테니얼의 오리지널 목판화가 각각 42점, 49점씩 담겨 있다. 연한 쑥색 보호지를 열면 인쇄본이 나오고, 그 하단에 한정판 번호가 연필로 기재되어 있다.

이 책이 출판된 것은 루이스 캐럴, 존 테니얼, 그리고 맥밀런 출판사의 발행인 알렉산더 맥밀런Alexander Macmillan이 의기투합하여 『이상한 나라의 앨리스』를 낸 지 120여 년 만이었다. 맥밀런 출판사에 달지엘 형제가 제작했던 오리지널 목판이 여전히 보관되어 있는 덕분에 이 프로젝트가 가능했다. 이 책에는 판화 기법부터 만드는 과정, 보관, 이후 전태판*을 제작하는 과정에서 목판 인쇄의 가치가 더욱 높아졌다는 해설이 담긴 소책자가 포함되어 있다.

『존 테니얼의 이상한 나라의 앨리스와
거울 나라의 앨리스 삽화』
Sir John Tenniel's Illustrations to Alice's
Adventures in Wonderland & Through
the Looking-Glass

존 테니얼John Tenniel
The Rocket Press, 1988, 런던

* electrotype. 대량 인쇄를 위해 전기로 주조하여 만든 복제판.

THROUGH THE
LOOKING-GLASS

*Prints from the original
wood engravings*

ALICE'S
ADVENTURES IN
WONDERLAND

*Prints from the original
wood engravings*

남아프리카 공화국에서 태어나 캐나다에서 성장한 일러스트레이터 찰스 반 샌드윅이 삽화를 그린 『이상한 나라의 앨리스』이다. 2015년 『이상한 나라의 앨리스』 출간 150주년 기념으로 출판되었다. 찰스 반 샌드윅은 수십 권의 책에 일러스트를 그렸고, 그 작품들은 캐나다의 국립 도서관 등지에 소장되어 있다. 그는 시적 요소와 섬세한 표현으로 유명하다.

이 책은 금색 문양이 그려진 초록색 슬립 케이스와 회중시계를 보는 토끼의 일러스트가 부착된 붉은색 양장본 표지가 뚜렷이 대비된다. 면지에는 앨리스가 거쳐 간 장소들이 그려진 지도가 담겨 있어 작품의 흐름을 한눈에 파악하는 데 도움을 준다. 책장을 넘기다 보면 각 장의 첫 대문자가 중세 필사본의 느낌으로 장식되어 있다. 아름답고 환상적인 색채로 묘사된 캐릭터와 배경이 독서의 기쁨을 더한다.

『이상한 나라의 앨리스』
Alice in Wonderland
찰스 반 샌드윅 Charles Van Sandwyk
Folio Society, 2019, 런던

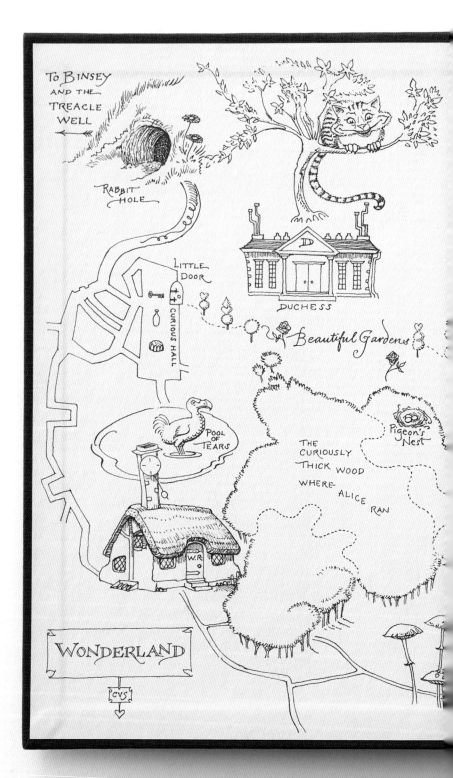

TO BINSEY AND THE TREACLE WELL

RABBIT HOLE

LITTLE DOOR

CURIOUS HALL

DUCHESS

Beautiful Gardens

POOL OF TEARS

Pigeon's Nest

THE CURIOUSLY THICK WOOD WHERE ALICE RAN

W.R.

WONDERLAND

CVS

TEA ♡ PARTY

GRYPHON SLEPT HERE

QUEEN OF ♡

Beau — ootiful Soo — oop!

MOCK TURTLE WEPT HERE

ajesty's
quet
Grounds

Her Majesty's Court.

S
E W
N

WHITE RABBIT'S SECRET TUNNELS

To OXFORD

The White Rabbit's method for telling time

'Oh my ears and whiskers, how late it's getting!'

Down the Rabbit Hole

beds of bright flowers and those cool fountains, but she could not even get her head through the doorway; 'and even if my head *would* go through,' thought poor Alice, 'it would be of very little use without my shoulders. Oh, how I wish I could shut up like a telescope! I think I could, if I only knew how to begin.' For, you see, so many out-of-the-way things had happened lately, that Alice had begun to think that very few things indeed were really impossible.

There seemed to be no use in waiting by the little door, so she went back to the table, half hoping she might find another key on it, or at any rate a book of rules for shutting people up like telescopes: this time she found a little bottle on it ('which certainly was not here before,' said Alice), and tied round the neck of the bottle was a paper label, with the words

beautifully printed on it in large letters.

It was all very well to say 'Drink me,' but the wise little Alice

CHAPTER FIVE

Advice from a Caterpillar

THE CATERPILLAR AND ALICE looked at each other for some time in silence: at last the Caterpillar took the hookah out of its mouth, and addressed her in a languid, sleepy voice.

'Who are you?' said the Caterpillar.

This was not an encouraging opening for a conversation. Alice replied, rather shyly, 'I—I hardly know, Sir, just at present—at least I know who I *was* when I got up this morning, but I think I must have been changed several times since then.'

'What do you mean by that?' said the Caterpillar, sternly. 'Explain yourself!'

'I can't explain *myself*, I'm afraid, Sir,' said Alice, 'because I'm not myself, you see.'

'I don't see,' said the Caterpillar.

'I'm afraid I can't put it more clearly,' Alice replied, very politely, 'for I can't understand it myself, to begin with; and being so many different sizes in a day is very confusing.'

'It isn't,' said the Caterpillar.

'Well, perhaps you haven't found it so yet,' said Alice; 'but when you have to turn into a chrysalis—you will some day, you

46

이 세상에 없는 공간

3

앨리스의 모험은 시작과 끝을 가늠하기 어려운 긴 원통의 공간을 통과하며 시작된다. 아래로, 더 아래로 이어지는 추락의 과정은 두렵지만, 한편으로 새로운 곳에 도달할 수 있다는 설렘을 동반한다. 굴속은 중력의 법칙이 느슨하게 적용되는 반자연적인 공간이자, 당장에 풀기 어려운 혼란과 터무니없는 수수께끼를 상징하는 수직화된 미로이기도 하다. 어린아이가 그 공간을 통과하는 것은 문학 작품에서 명확한 상징성을 내포한다.

앨리스가 굴에 떨어진 뒤 가장 먼저 닿는 공간은 문이 여러 개 달린 홀이다. 그중 작은 문을 열자 아름다운 정원이 펼쳐진다. 판타지 장르에서 자주 보던 공간 설정이다. 앨리스가 커졌을 때 흘린 눈물이 모여 웅덩이를 이루고, 다시 몸이 작아진 앨리스가 그 웅덩이를 헤엄치는 장면은 이 세상에 없는 공간을 보여 준다. 감당할 수 없는 커다란 슬픔이나 괴로움을 상징적으로 표현하되 거기에 피와 살을 붙여 구체성을 지닌 하나의 실체로 마주하게끔 하는 것이다.

이렇게 앨리스의 세계에서 구체성을 확보한 상징적인 공간들은 이후 소설과 영화에서 다양하게 재현되며 환상성을 더하는 장치로써 활용되었다. 이 공간에서 기존의 법칙은 작동하지 않는다. 독자들은 이 세상에 없지만 너무나 그럴듯한 공간, 한 번쯤 상상해 봤던 동심의 공간을 찾아보는 재미를 만끽할 수 있다.

BIZARRE SPACE

GWYNEDD

HUDSON

WILLY

POGANY

ANDRÉ PÉCOUD

귀네드 허드슨
윌리 포가니
앙드레 페쿠
토베 얀손
앤 바슐리에

TOVE

JANSSON

ANNE BACHELIER

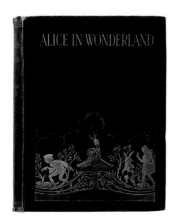

『이상한 나라의 앨리스』
Alice's Adventures in Wonderland
귀네드 허드슨 Gwynedd Hudson
Hodder & Stoughton, 1922, 런던

영국의 초상화가이자 일러스트레이터인 귀네드 허드슨의 『이상한 나라의
앨리스』이다. 1922년 초판이 발행된 이후 10년이 넘게 표지 색깔을 달리해
다섯 가지 버전으로 출판될 정도로 인기를 끌었다.
그녀가 그린 앨리스는 어두운 톤과 차분한 색상으로 섬세한 아름다움을
연출한다. 부채를 든 토끼나 단풍이 든 나무 아래에서 열린 다과회 장면은
동양적인 분위기를 드러낸다. 또한 이 책은 각 장이 시작될 때 첫 글자를 중세
필사본처럼 그림으로 표현한 점이 특징적이다. 특히 앨리스가 토끼 굴로
떨어지는 첫 장의 대문자 A는 이 책을 소개할 때마다 빠지지 않고 등장할 만큼
유명하다.

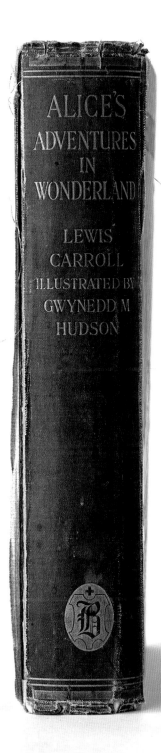

ALICE'S
ADVENTURES
IN
WONDERLAND

LEWIS
CARROLL
ILLUSTRATED BY
GWYNEDD M
HUDSON

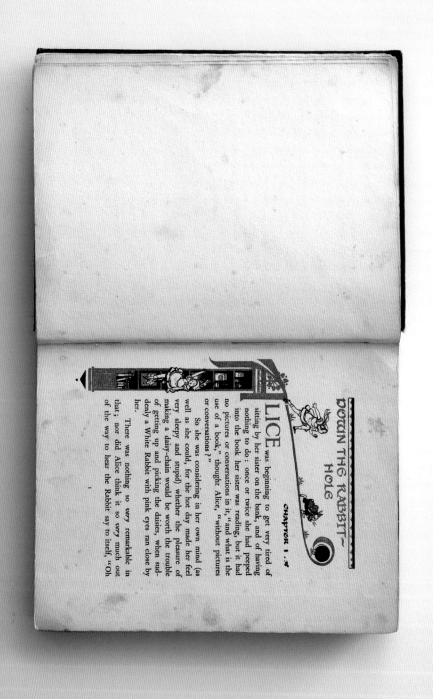

DOWN THE RABBIT-HOLE

CHAPTER I.·X

LICE was beginning to get very tired of sitting by her sister on the bank, and of having nothing to do : once or twice she had peeped into the book her sister was reading, but it had no pictures or conversations in it, "and what is the use of a book," thought Alice, "without pictures or conversations ?"

So she was considering in her own mind (as well as she could, for the hot day made her feel very sleepy and stupid) whether the pleasure of making a daisy-chain would be worth the trouble of getting up and picking the daisies, when suddenly a White Rabbit with pink eyes ran close by her.

There was nothing so *very* remarkable in that ; nor did Alice think it so *very* much out of the way to hear the Rabbit say to itself, "Oh

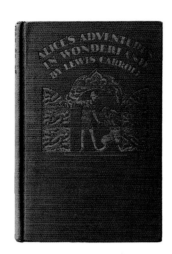

보랏빛 패브릭 커버에 앨리스와 토끼가 이상한 나라에서 문을 열고 나와
독자를 맞이하는 듯한 금박 일러스트, 한 손에 잡히는 자그마한 이 책은
헝가리의 예술가 윌리 포가니가 작업했다. 그의 앨리스는 이 책이 발행된
20세기 초의 앨리스이다. 보브 커트 헤어스타일에 세일러 블라우스, 타탄체크
스커트, 그리고 메리제인 슈즈를 착용한 세련된 모습이다.
파리, 런던, 뮌헨 등 예술 도시를 경험한 그는 뉴욕과 할리우드에서 오페라
무대 미술가와 의상 디자이너, 워너 브라더스의 아트 디렉터로 활동했다. 이
책은 그의 다양한 경력이 한데 모인 집약체이다. 면지에 캐릭터들을 모아
놓은 화려한 배치, 뮤지컬 코러스 걸을 연상시키는 카드 병정들의 모습에
무대 미술가로 일한 경험이 반영되었다. 이상한 다과회 장면에서 보이는 하이
앵글, 인물로 가득 찬 풀 샷 등 과감한 연출에서는 영화사 아트 디렉터로 일한
이력이 엿보인다. 또한 일러스트 양옆의 검은 테두리는 필름의 프레임을
연상시키며 독특한 레이아웃을 연출한다. 앨리스가 목이 길어져 공간을
내려다보거나 거인처럼 몸이 커진 장면은 패션 잡지의 화보처럼 느껴진다.

『이상한 나라의 앨리스』
Alice's Adventures in Wonderland
윌리 포가니 Willy Pogany
E.P. Dutton, 1929, 뉴욕

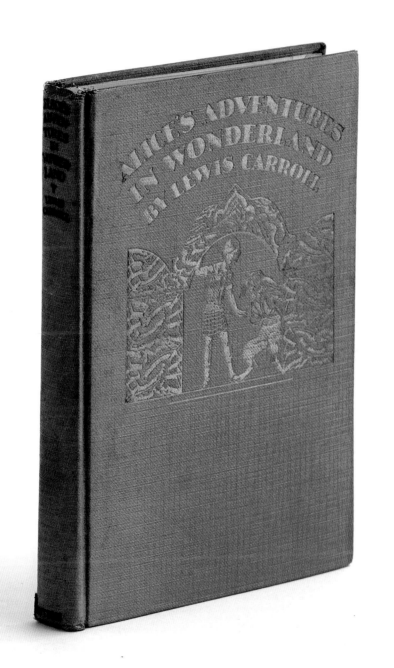

Willy Pogány

ALICE'S ADVENTURES IN WONDERLAND
BY LEWIS CARROLL
ILLUSTRATIONS BY WILLY POGANY

E.P. DUTTON AND COMPANY
NEW YORK

---

saying "We beg your acceptance of this elegant thimble"; and, when it had finished this short speech, they all cheered.

Alice thought the whole thing very absurd, but they all looked so grave that she did not dare to laugh; and, as she could not think of anything to say, she simply bowed, and took the thimble, looking as solemn as she could.

The next thing was to eat the comfits: this caused some noise and confusion, as the large birds complained that they could not taste theirs, and the small ones choked and had to be patted on the back. However, it was over at last, and they sat down again in a ring, and begged the Mouse to tell them something more.

"You promised to tell me your history, you know," said Alice, "and why it is you hate—C and D," she added in a whisper, half afraid that it would be offended again.

"Mine is a long and a sad tale!" said the Mouse, turning to Alice, and sighing.

"It is a long tail, certainly," said Alice, looking down with wonder at the Mouse's tail; "but why do you call it sad?" And she kept on puzzling about it while the Mouse was speaking, so that her idea of the tale was something like this:—

Five and Seven said nothing, but looked at Two. Two began, in a low voice, "Why, the fact is, you see, Miss, this here ought to have been a *red* rose-tree, and we put a white one in by mistake; and, if the Queen was to find it out, we should all have our heads cut off, you know. So you see, Miss, we're doing our best, afore she comes, to——." At this moment, Five, who had been anxiously looking across the garden, called out "The Queen! The Queen!", and the three gardeners instantly threw themselves flat upon their faces. There was a sound of many footsteps, and Alice looked round, eager to see the Queen.

First came ten soldiers carrying clubs: these were all shaped like the three gardeners, oblong and flat, with their hands and feet at the corners:

next the ten courtiers: these were ornamented all over with diamonds, and walked two and two, as

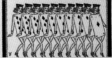

the soldiers did. After these came the royal children: there were ten of them, and the little dears came jumping merrily along, hand in hand, in

couples: they were all ornamented with hearts. Next came the guests, mostly Kings and Queens,

---

Chapter 12
Alice's Evidence

"HERE!" cried Alice, quite forgetting in the flurry of the moment how large she had grown in the last few minutes, and she jumped up in such a hurry that she tipped over the jury-box

with the edge of her skirt, upsetting all the jurymen on to the heads of the crowd below, and there they lay sprawling about, reminding her very much of a globe of gold-fish she had accidentally upset the week before.

"Oh, I beg your pardon!" she exclaimed in a tone of great dismay, and began picking them up again as quickly as she could, for the accident of the gold-fish kept running in her head, and she had a vague sort of idea that they must be collected at once and put back into the jury-box, or they would die.

"The trial cannot proceed," said the King, in a very grave voice, "until all the jurymen are back in their proper places—*all*," he repeated with great emphasis, looking hard at Alice as he said so.

Alice looked at the jury-box, and saw that, in her haste, she had put the Lizard in head downwards, and the poor little thing was

waving its tail about in a melancholy way, being quite unable to move. She soon got it out again, and put it right; "not that it signifies much," she

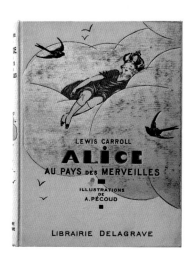

큰 판형으로 일러스트를 보는 재미를 만끽하게 해주는 이 책은 『이상한 나라의 앨리스와 거울 나라의 앨리스』 합본이다. 순수 미술과 그래픽 디자인 분야를 오가며 전방위로 활동한 프랑스의 예술가 앙드레 페쿠가 일러스트를 그렸다. 그는 프랑스의 대형 출판사인 아셰트의 아동 도서 파트에서 일하며 많은 작품을 남겼다. 또한 광고와 패션 잡지의 일러스트를 작업하면서 간결하고 날렵한 드로잉, 인상파의 영향이 묻어나는 담백하고 부드러운 화풍을 구축했다. 그리하여 빛이 감도는 듯한 풍부한 서정성과 낭만적인 낙천성으로 대중의 사랑을 받았다.

그는 이 책을 작업하면서 아르데코*의 공세 속에서 자신만의 <1930년대 스타일>을 고수했다. 그가 그린 앨리스의 세계는 목가적이고 몽환적이다. 캐릭터의 움직임이 잘 드러나는 일러스트가 경쾌한 느낌을 전해 준다. 『위대한 개츠비』의 데이지를 연상시키는 플래퍼** 스타일의 단발머리에 붉은색 원피스를 입은 앨리스가 꿈꾸는 듯한 표정으로 은색 구름 위에 누워 있는 표지화가 책 전체의 분위기를 드러낸다.

* art deco. 1920~1930년대 프랑스를 중심으로 유행한 예술 양식. 산업화가 가속화되는 시기에 곡선보다는 직선을, 비대칭보다는 대칭을, 그리고 대량 생산 수요에 적합한 기능주의를 지향했다.
** flapper. 1920년대 재즈 시대의 젊고 자유분방한 여성들을 가리키는 말. 짧은 스커트나 민소매 원피스 등 종래의 규범을 거부하는 방식으로 입고 행동했다.

『이상한 나라의 앨리스와
거울 나라의 앨리스』
Alice au Pays des Merveilles et
Á travers le Miroir
앙드레 페쿠 André Pécoud
Librairie Delagrave, 1935, 파리

LEWIS CARROLL
ALICE
AU PAYS DES MERVEILLES
ILLUSTRATIONS
DE
A. PÉCOUD
LIBRAIRIE DELAGRAVE

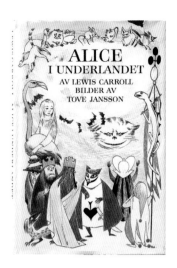

<무민> 캐릭터로 유명한 핀란드의 화가 토베 얀손이 일러스트를 그린 『이상한 나라의 앨리스』이다. 루이스 캐럴의 연작시 『스나크 사냥』의 삽화를 그리기도 했던 토베 얀손은 『이상한 나라의 앨리스』에서 불안을 감지한다. 그녀는 앨리스의 환상적인 세계에 감추어진 어둠과 공포를 고스란히 담아내길 원했으나 출판사의 요청에 따라 조금 더 부드러운 톤을 유지한다. 그럼에도 그녀가 그려 낸 원더랜드는 여전히 초현실적이며, 환상과 악몽의 경계에서 깊고 황량한 풍경을 보여 준다.

그녀는 앨리스를 무민 계곡을 여행하는 쓸쓸한 소녀로 표현했다. 가벼운 선과 음영이 드리운 흑백 일러스트는 정적인 분위기를 더한다. 그와 대비되는 11점의 컬러 일러스트는 적막한 분위기에 토베 얀손 특유의 서늘한 생기를 불어넣는다. 주홍빛과 보랏빛, 그리고 짙푸른 하늘 아래를 나는 박쥐들의 조합은 이곳이 현실 바깥이 아닌 우리 내면의 깊은 곳에 존재하는 공간임을 역설한다.

『이상한 나라의 앨리스』

Alice I Underlandet

토베 얀손 Tove Jansson

Albert Bonniers, 1966, 스톡홀름

160

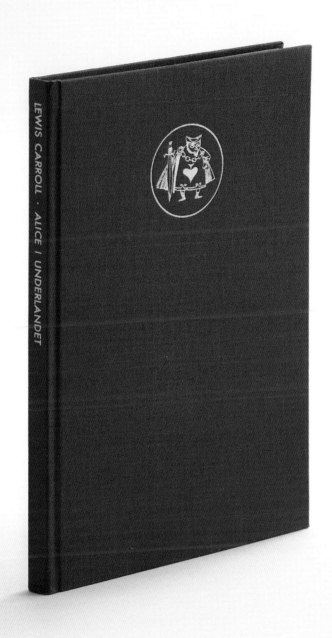

neråt! Antipatierna, heter dom visst. (Den här gången var hon rätt glad att ingen hörde på för ordet lät inte riktigt rätt.)

– Men jag måste ju fråga vad landet heter, förstås. Ursäkta, tant, är det här Kina eller Australien? (Och hon försökte niga medan hon föll – niga medan man ramlar genom luften? Tror du att du skulle kunna det?) Och vad dom kommer att tycka att jag är dum som frågar! Nej, det går aldrig att fråga. Jag kanske ser det stå tryckt nånstans.

Neråt, neråt, neråt. Det fanns ingenting annat att göra och därför började Alice snart prata igen.

– Misan kommer nog att sakna mig i kväll. (Misan var katten.) Jag hoppas dom kommer ihåg hennes mjölkfat vid tedags. Misse lilla. Jag önskar att du vore här hos mig. Fast det finns nog tyvärr inga möss i luften. Men du kunde kanske fånga en fladdermus och den är rätt lik en mus, förstår du. Men äter katter läderlappar?

Och nu började Alice bli rätt sömnig och mumlade lite drömmande:

– Äter katter lappar? Äter katter lappar? och ibland: Äter lappar katter? Eftersom hon inte kunde svara på någondera frågan, så gjorde det ju detsamma vilket hon frågade. Hon kände att hon höll på att slumra till och hade just börjat drömma att hon gick hand i hand med Missan och sa mycket allvarligt till henne:

– Hör du Missan, har du nånsin ätit en lapp? när hon plötsligt, duns duns, hamnade rakt i en hög med pinnar och torra löv och det var slut på fallet.

Alice slog sig inte ett dugg och hon sprang upp på benen på en sekund. Hon tittade upp, men ovanför var det bara svart. Framför henne låg en annan lång korridor och den vita kaninen syntes fortfarande på väg bortåt gången.

Här var inte en minut att förlora. Alice flög iväg som vinden och kom just lagom för att höra kaninen säga när den svängde om hörnet:

– Morrhår och örontofsar, vad klockan har blivit mycket!

Hon var tätt i hälarna på den när hon svängde om hörnet, men kaninen syntes inte till någonstans. Hon hade kommit in i en långsmal sal där en rad lysande lampor hängde ner från det låga taket.

Det fanns dörrar hela vägen runt väggarna, men allihop var låsta och när Alice hade varit hela vägen bort längs ena sidan och tillbaka längs den andra och försökt varenda dörr, gick hon lite trist ut i mitt på golvet och undrade hur hon någonsin skulle komma därifrån igen.

Plötsligt kom hon till ett litet trebent bord, gjort av massivt glas helt igenom. Där låg bara en sak – en liten liten guldnyckel. Alice tänkte genast att den kanske gick till någon av dörrarna i salen, men ack, antingen var nyckelhålen för stora eller också var nyckeln för liten. I varje

– Visst gör den det Ers Nåd, men det är i alla fall en arm!

– Ja, den har inte där att göra, i alla fall. Se till att den kommer bort!

Så blev det en lång tystnad och Alice hörde bara enstaka viskningar som:

– Jisses, Ers Nåd, det här är inget för mej. Inte alls!

– Gör som jag säger, din kruka!

Till sist sträckte hon ut handen igen och rafsade till i luften. Den här gången hörde hon *två* små pip och mera krossat glas.

– Vad där måste finnas många trädgårdsängar, tänkte Alice. Jag undrar vad dom ska hitta på nu? Hala ut mej genom fönstret? Tänk om dom bara kunde. Jag har då ingen lust att stanna längre härinne!

Hon väntade ett slag utan att höra mer. Så hörde hon små hjul som rullade och en hel massa röster som talade i mun på varandra:

– Var är den andra stegen?

– Jag skulle bara ha en med mej. Sten skulle ta den andra.

– Sten! Ta hit den, gosse!

– Här! Ställ dom här – nej bind ihop dom först – dom räcker inte halvvägs än. Sådär ja, det räcker bra. Var inte så kinkig.

– Sten! Ta tag i repet här.

– Håller taket?

– *Se upp för den där lösa plattan!* Akta er, den lossnar! Se opp! (Ett våldsamt brak.)

– Vem var det nu då?

– Det var nog Sten.

– Vem ska gå ner i skorsten?

– Inte *jag*. Det kan *du* göra.

– Nej du, inte jag, inte.

– Då får Sten gå ner.

– Du, Sten! Patron säger att du ska klättra ner i skorsten!

– Jaså, Sten ska komma ner genom skorstenen, tänkte Alice. Det verkar som om Sten skulle få göra allting. Jag skulle inte vilja vara i hans ställe för aldrig det. Den här öppna spisen är *trång*, förstås, men jag kan i alla fall sparka *lite*.

Hon drog ner foten så långt ner genom rökgången som hon kunde och väntade till dess hon hörde det lilla djuret (hon kunde inte gissa vad det var för sort) krafsa och krypa nerför rökgången alldeles ovanför henne. Sen sa hon sig:

– Det här är Sten! Och så sparkade hon till kraftigt och väntade för att se vad som skulle hända sen.

Det första hon hörde var en massa röster som sa:

– Titta på Sten!

Och sen kaninens röst, bara, som sa:

164

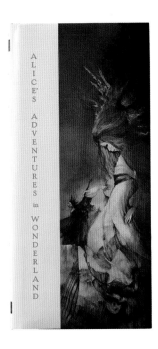

2005년 뉴욕의 CFM 갤러리에서 일곱 가지 버전의 3천 부 한정판으로
출판한 『이상한 나라의 앨리스와 거울 나라의 앨리스』 합본이다. 세로로 긴
판형의 이 책은 프랑스의 화가 앤 바슐리에가 작업했다. 그녀는 화려한 색채와
섬세한 장식, 초현실주의를 현대적으로 재현한 일러스트로 인정받고 있다. 네
점의 폴딩 페이지를 비롯하여 1백 점이 넘는 몽환적인 수채 일러스트가 담겨
있다.
그녀는 익숙한 장면들을 독창적인 상상력과 뛰어난 색채감으로 아름답게
재해석했다. 나풀거리는 드레스를 입고 춤추듯 모험하는 앨리스가 낯선
세계로 빨려 드는 몰입감을 선사한다. 여왕을 비롯한 등장인물들과 이상한
다과회 등의 배경 묘사에서 동양적인 분위기가 묻어나며, 그 때문인지
앨리스는 설화에 묘사된 요정같이 보이기도 한다. 『이상한 나라의 앨리스』와
『거울 나라의 앨리스』가 반반씩 앞뒤로 제본된 점도 독특하다. 각 이야기의
끝에는 책의 저작자, 발행자, 주소 등을 기입한 판권이 영화의 엔딩
크레디트처럼 수록되어 한 편의 극을 본 듯한 경험을 선사한다.

『이상한 나라의 앨리스와 거울 나라의 앨리스』
Alice's Adventures in Wonderland &
Through the Looking-Glass
앤 바슐리에 Anne Bachelier
CFM Gallery, 2005, 뉴욕

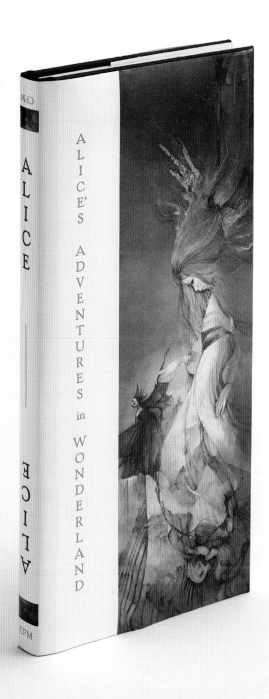

"Curiouser and Curiouser!" cried Alice (she was so much surprised, that for the moment she quite forgot how to speak good English); "now I'm opening out like the largest telescope that ever was! Good-bye, feet!" (for when she looked down at her feet, they seemed to be almost out of sight, they were getting so far off). "Oh, my poor little feet, I wonder who will put on your shoes and stockings for you now, dears? I'm sure I shan't be able! I shall be a great deal too far off to trouble myself about you: you must manage the best way you can; — but I must be kind to them," thought Alice, "or perhaps they won't walk the way I want to go! Let me see: I'll give them a new pair of boots every Christmas."

And she went on planning to herself how she would manage it. "They must go by the carrier," she thought; "and how funny it'll seem, sending presents to one's own feet! And how odd the directions will look!

       Alice's Right Foot, Esq.
         Hearthrug,
           near the Fender,
           (with Alice's love.)

Oh dear, what nonsense I'm talking!"

Just at this moment her head struck against the roof of the hall: in fact she was now rather more than nine feet high, and she at once took up the little golden key and hurried off to the garden door.

Poor Alice! It was as much as she could do, lying down on one side, to look through into the garden with one eye; but to get through was more hopeless than ever: she sat down and began to cry again.

"You ought to be ashamed of yourself," said Alice, "a great girl like you," (she might well say this) "to go on crying in this way! Stop this moment, I tell you!" But she went on all the same, shedding gallons of tears, until there was a large pool all round her, about four inches deep and reaching half down the hall.

How are you getting on now, my dear?" it continued, turning to Alice as it spoke.

"As wet as ever," said Alice in a melancholy tone: "it doesn't seem to dry me at all."

"In that case," said the Dodo solemnly, rising to its feet, "I move that the meeting adjourn, for the immediate adoption of more energetic remedies – "

"Speak English!" said the Eaglet. "I don't know the meaning of half those long words, and, what's more, I don't believe you do either!" And the Eaglet bent down its head to hide a smile: some of the other birds tittered audibly.

"What I was going to say," said the Dodo in an offended tone, "was, that the best thing to get us dry would be a Caucus-race."

"What is a Caucus-race?" said Alice; not that she much wanted to know; but the Dodo had paused as if it thought that somebody ought to speak, and no one else seemed inclined to say anything.

"Why," said the Dodo, "the best way to explain it is to do it." (And as you might like to try the thing yourself, some winter day, I will tell you how the Dodo managed it.)

First it marked out a race-course, in a sort of circle, ("the exact shape doesn't matter," it said) and then all the party were placed along the course, here and there. There was no "One, two, three, and away," but they began running when they liked, and left off when they liked, so that it was not easy to know when the race was over. However, when they had been running half-an-hour or so, and were quite dry again, the Dodo suddenly called out, "The race is over!" and they all crowded round it, panting, and asking, "But who has won?"

This question the Dodo could not answer without a great deal of thought, and it sat for a long time with one finger pressed upon its forehead (the position in which you usually see Shakespeare, in the pictures of him), while the rest waited in silence. At last the Dodo said, "everybody has won, and all must have prizes."

"But who is to give the prizes?" quite a chorus of voices asked.

"Why, she, of course," said the Dodo, pointing to Alice with one finger; and the whole party at once crowded round her, calling out in a confused way, "Prizes! Prizes!"

Alice had no idea what to do, and in despair she put her hand into her pocket, and pulled out a box of comfits, (luckily the salt-water had not got into it), and handed them round as prizes. There was exactly one a-piece all round.

"But she must have a prize herself, you know," said the Mouse.

"Of course," the Dodo replied very gravely. "What else have you got in your pocket?" he went on, turning to Alice.

"Only a thimble," said Alice sadly.

"Hand it over here," said the Dodo.

Then they all crowded round her once more, while the Dodo solemnly presented the thimble, saying, "We beg your acceptance of this elegant thimble;" and, when it had finished this short speech, they all cheered.

Alice thought the whole thing very absurd, but they all looked so grave that she did not dare to laugh; and, as she could not think of anything to say, she simply bowed, and took the thimble, looking as solemn as she could.

The next thing was to eat the comfits: this caused some noise and confusion, as the large birds complained that they could not taste theirs, and the small ones choked and had to be patted on the back. However, it was over at last, and they sat down again in a ring, and begged the Mouse to tell them something more.

"You promised to tell me your history, you know," said Alice, "and why it is you hate – C and D," she added in a whisper, half afraid that it would be offended again.

"Mine is a long and a sad tale!" said the Mouse, turning to Alice, and sighing.

28

"It is a long tail, certainly," said Alice, looking down with wonder at the Mouse's tail; "but why do you call it sad?" And she kept on puzzling about it while the Mouse was speaking, so that her idea of the tale was something like this :–

Fury said to
a mouse, That
he met
in the
house,
'Let us
both go
to law:
I will
prosecute
you.–
Come, I'll
take no
denial;
We must
have a
trial:
For
really
this
morning
I've
nothing
to do.'
Said the
mouse to
the cur,
'Such a
trial,
dear Sir,
With
no jury
or judge,
would be
wasting
our
breath.'
'I'll be
judge, I'll
be jury,'
Said
cunning
old Fury:
'I'll
try the
whole
cause,
and
condemn
you
to
death.'

"You are not attending!" said the Mouse to Alice severely. "What are you thinking of?"

"I beg your pardon," said Alice very humbly: "you had got to the fifth bend, I think?"

"I had not!" cried the Mouse, sharply and very angrily.

"A knot!" said Alice, always ready to make herself useful, and looking anxiously about her. "Oh, do let me help to undo it!"

"I shall do nothing of the sort," said the Mouse, getting up and walking away. "You insult me by talking such nonsense!"

"I didn't mean it!" pleaded poor Alice. "But you're so easily offended, you know!"

The Mouse only growled in reply.

"Please come back, and finish your story!" Alice called after it; and the others all joined in chorus, "Yes, please do!" but the Mouse only shook its head impatiently, and walked a little quicker.

"What a pity it wouldn't stay!" sighed the Lory, as soon as it was quite out of sight; and an old Crab took the opportunity of saying to her daughter "Ah, my dear! Let this be a lesson to you never to lose your temper!" "Hold your tongue, Ma!" said the young Crab, a little snappishly. "You're enough to try the patience of an oyster!"

29

무의미의 카오스

4

앨리스의 세계는 카오스 그 자체이다. 몸의 크기는 계속해서 변하고, 후춧가루와 사형 선고가 사방을 가득 메운다. 엉망진창 다과회에서는 시간마저 멈춰 버리고, 거꾸로 쓰인 시는 각자의 방식으로 해석된다. 특히 아름다운 정원에서 펼쳐지는 하트 여왕의 크로케 경기는 카오스의 정점이다. 여왕은 참가자들에게 불합리한 지시를 하고, 임의로 판결을 내리며, 특히 〈목을 자르라〉는 명령을 남발한다. 카드 병정으로 만들어진 골대는 이리저리 움직이고, 경기 도구인 플라밍고와 고슴도치는 살아 있는 동물이다 보니 사용자의 의지대로 다룰 수 없다.

이 혼란에는 〈규칙 없음〉이 작용한다. 모호하고 불명확한 규칙과 통제 불가능성, 그리고 여왕의 부조리한 명령은 현실 세계의 〈질서〉라는 미덕을 배신한다. 크로케 경기장은 그 자체로 무질서한 광기의 상태이자 현실을 요리조리 비튼 난장판의 세계이다. 혼돈과 무의미, 광기와 비논리가 지배하는 〈미친 자들의 난장〉은 현실에 이리저리 균열을 낸다. 앨리스는 그 혼란의 틈을 비집고 들어가 새로운 가능성의 세계를 맞이한다.

MEANINGLESS CHAOS

LEWIS CARROLL
RICHARD
AVEDON
KUNIYOSHI
KANEKO

루이스 캐럴
리처드 애버던
가네코 구니요시

『지하 세계의 앨리스』는 루이스 캐럴이 앨리스 자매들과 강으로 소풍을 갔을 때 처음으로 들려준 이야기였다. 아이들은 황당무계한 말장난과 난센스로 가득한 이야기를 듣고 즐거워했는데, 특히 둘째인 앨리스가 가장 좋아해서 그 이야기를 책으로 만들어 달라고 졸랐다. 루이스 캐럴은 원고를 책으로 만들어 앨리스에게 선물했다. 그래서인지 이 책을 넘기다 보면 자필 편지를 읽는 듯한 느낌이 든다.

루이스 캐럴은 펜과 잉크로 글을 쓰고 그림을 그렸다. 그리고 37점의 펜화에 붉은색, 푸른색, 녹색을 가미했다. 자신의 그림에 만족할 수 없었던 그는 일부 그림 위에 앨리스 리들의 사진을 붙여 두었다. 사진 아래에 있던 그림들은 1977년에 처음으로 발견되었다.

앨리스 리들은 『지하 세계의 앨리스』를 소중히 간직했지만 남편이 사망한 후 상속세를 내기 위해 소더비 경매에 내놓았다. 책은 미국인 딜러에게 1만 5천 파운드에 팔렸고, 몇몇 소유주를 거쳐 1948년 영국 도서관에 기증되었다. 이 책은 1964년 미국에서 출판된 『지하 세계의 앨리스』 복간본이다.

『지하 세계의 앨리스』
Alice's Adventures Under Ground
루이스 캐럴 Lewis Carroll
University Microfilms, 1964, 앤아버

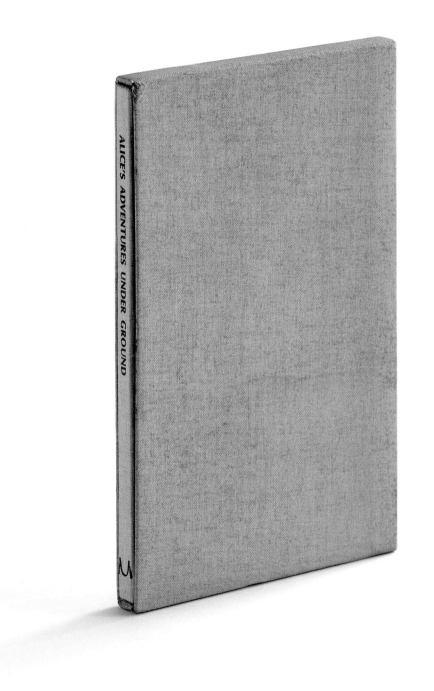

Chapter 1

Alice was beginning to get very tired of sitting by her sister on the bank, and of having nothing to do: once or twice she had peeped into the book her sister was reading, but it had no pictures or conversations in it, and where is the use of a book, thought Alice, without pictures or con--versations? So she was considering in her own mind, (as well as she could, for the hot day made her feel very sleepy and stupid,) whether the pleasure of making a daisy-chain was worth the trouble of getting up and picking the daisies, when a white rabbit with pink eyes ran close by her.

There was nothing very remarkable in that, nor did Alice think it so very much out of the way to hear the rabbit say to itself "dear, dear! I shall be too late!" (when she thought it over afterwards, it occurred to her that she ought to have wondered at this, but at the time it all seemed quite natural); but when the rabbit actually took a watch out of its waistcoat-pocket, looked at it, and then hurried on, Alice started to her feet, for

54

3.

"You are old," said the youth, "as I mentioned before,
"And have grown most uncommonly fat:
Yet you turned a back-somersault in at the door—
Pray what is the reason of that?"

4.

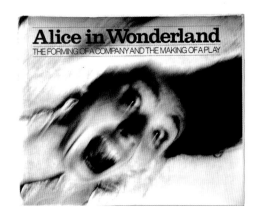

괴이하게 일그러진 여성의 얼굴을 강조한 표지 사진을 넘기면 흰 배경의
스튜디오에서 과장된 동작과 표정을 펼쳐 보이는 배우들의 흑백 사진이
이어진다. 1973년 뉴욕의 멀린 하우스에서 출판된 이 책은 프랑스 출신의
미국 극작가이자 배우, 연출가인 앙드레 그레고리Andre Gregory가
제작한 아방가르드 연극 「이상한 나라의 앨리스」의 준비 과정을 담고 있다.
그레고리가 만든 연극 단체 <맨해튼 프로젝트>의 구성원들이 집필한 이 책은
텍스트와 사진, 연극, 몸의 조형성을 다룬 네 가지 파트로 구성되어 있다.
그들의 대화를 통해 왜 『이상한 나라의 앨리스』가 선택되었으며, 어떻게
연극으로 만들어졌는지 살펴볼 수 있다.
이 책에 실린 사진들은 1970년 11월부터 1971년 4월까지 미국의
사진작가인 리처드 애버던이 자신의 스튜디오에서 「이상한 나라의 앨리스」를
연기하는 배우들을 12회에 걸쳐 촬영한 것이다. 이 연극은 앨리스의 세계에서
인물과 상황을 가져왔으나, 보는 이로 하여금 원작을 넘어선 두려움과 당혹감,
혼란, 광기, 공포, 황홀의 상태를 경험하게 만든다. 애버던은 배우들의 표정과
신체 연기를 생생한 사진으로 포착했다. 조금만 상상력을 발휘한다면 사진
옆에 기재된 문구와 대사를 통해 눈앞에 펼쳐진 카오스의 현장에서 앨리스의
흔적들 — 토끼 굴로의 추락, 코커스 경주, 하얀 기사와의 만남 등 — 을 찾아낼
수 있을 것이다.

『이상한 나라의 앨리스: 회사 설립과 연극 제작』
Alice In Wonderland: The Forming of a
Company and the Making of a Play
리처드 애버던 Richard Avedon
Merlin House, 1973, 뉴욕

178

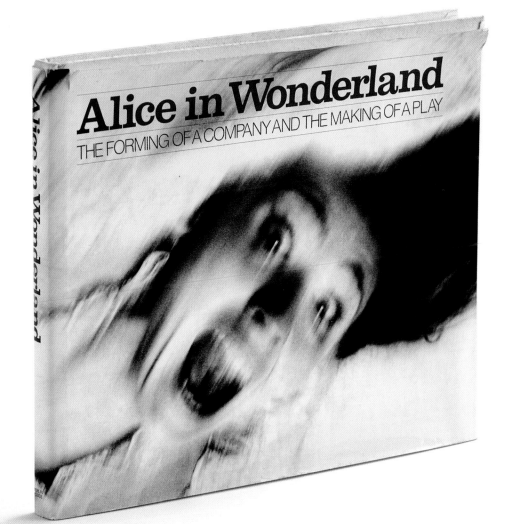

Alice in Wonderland
THE FORMING OF A COMPANY AND THE MAKING OF A PLAY

rel
a n
Ma
an
the
19
de
six
of
th
kn
wo
se
ev
ge
ma
Un

de
for
ac
we
wh
rej
sta
Pr
wi
an
the
we
or
ap
the
the
di
pla
an

IN WO

relates the ge
a new young
Manhattan Pr
and methods
theater. It beg
1968, when a
dedicated act
six-week cou
of Andre Greg
those "studer
know was tha
would stretch
several-year
eventually ev
generally con
major drama
United States

In an age w
demands ma
for new plays
actors felt lu
weeks to reh
where produ
rejected mat
star was prov
Project had t
without funds
and set out in
theater. They
weeks but fo
or texts they
appear on st
they theorize
they wore, lit
director) in s
play but also
an age of tec

Andre: I hardly ever tell an actor to do anything. I never impose my own ideas. I don't really have any until after I've seen something. Then I know. Somehow I find a way to bring out what's in me through them.

Gerry: Andre always lets you discover things yourself and, from that, finds what he can take that's good and has you expand on it. He almost never says, "No, that's bad." What he likes might be the tiniest, most insignificant thing, but it's something to build on.

Angela: All of a sudden you're not a puppet any more. You don't have to worry about trying to fit yourself into some crazy concept in a director's mind. You have to use yourself, your own responses, things that are true to your nature.

Andre: I like to think that being so democratic in allowing the actor to do whatever he wants, only very delicately and politely suggesting that this might be better than that. Refining things. But it may be the most egotistical way to be a director. I mean, everyone knows that directors like to play god. Well, there are small gods and big gods. The small gods have to show their power so they move people around a lot and lay down the rules. But what could be more egotistical and closer to the image of god than to be completely absent? That to me is the cruelest and most interesting god of all.

Jerry: All the moves people make in that scene really please Andre. But I don't recall his ever saying, "I want you to go from here over to there." After we found it he would often say, "Remember that, let's keep it." Like at the end of the race where I say, "Who won, who who who," slithering across the stage, I discovered that one day in the improvisations and then, months later, the movement I made started to change and Andre

told me to go back to it. And toward the end he tightened things up a bit. When we were in a clump he'd ask us to be a little closer together. But it sure never felt like direction to me.

Andre: What finally happened in this scene was that we were able to get the animals, we were able to get the pain, the isolation, the games, and the frenzied race. But we couldn't get any order. In the end I had to block it. But that blocking never could have had any logic if the actors hadn't first stumbled through it.

What amazes me—and it's true of all my productions—is the sense of movement, I feel I couldn't stage my way out of a paper bag. But every one of my productions has been extremely physical, even in as contained a world as Endgame. It was as physical as you could possibly be, paralyzed in a trashcan.

When a production is finished and I look at it, it always makes me wonder. It seems so staged, so choreographed. And it's particularly weird in Alice. The sense of movement and fluid pictures. Because it's the most staged of anything I've ever done, and yet in a funny way it's the one I'm the most absent from. That's a real mystery to me. Because I know the actors can't have done it themselves. At least I think not. But I'm sure I didn't do it.

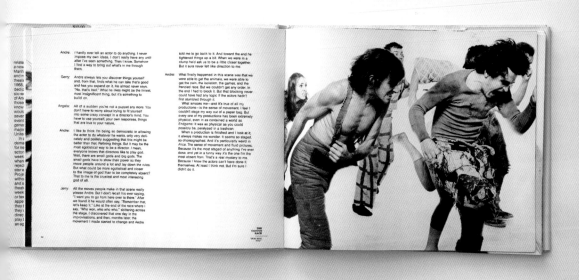

이탈리아 최초의 타자기 제조 회사인 올리베티에서 고객들에게 크리스마스 선물로 증정한 『이상한 나라의 앨리스』이다. 관능적이고 세기말적인 분위기로 유명한 일본의 화가 가네코 구니요시가 일러스트 작업을 맡았다. 자주색 천 양장의 표지에는 앨리스 자매의 모습이 담긴 컬러 일러스트가 새겨져 있다. 본문 일러스트는 흑백으로 인쇄되어 색감 대비에서 오는 신비감을 느낄 수 있다. 화면 구성은 존 테니얼의 그림과 유사한데, 그보다 판형을 키워 공간을 보여 주는 방식으로 구성했다.

이 책의 또 다른 특징은 앨리스의 표정이다. 가네코 구니요시는 사각 프레임 안에 앨리스를 넣어 두고 그 공간을 덤덤하게 받아들이는 표정을 강조했다. 책을 펼치자마자 면지에서 눈물 웅덩이에 빠진 앨리스의 무심한 표정을 만나게 된다. 앨리스가 무슨 생각을 하고 있는지 궁금해하면서, 책을 보는 재미를 만끽할 수 있다.

『이상한 나라의 앨리스』
Alice's Adventures in Wonderland
가네코 구니요시 Kuniyoshi Kaneko
Olivetti, 1974, 이브레아

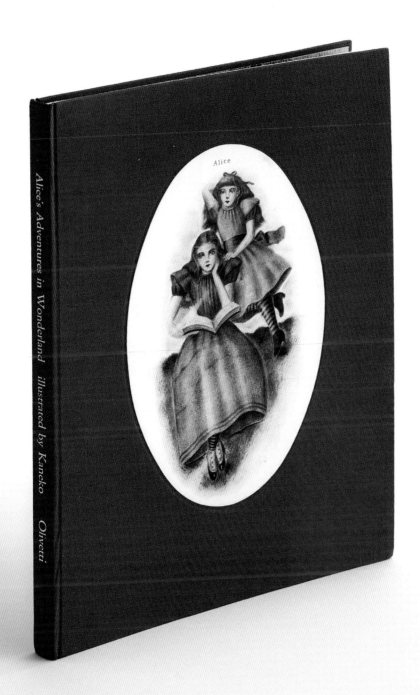

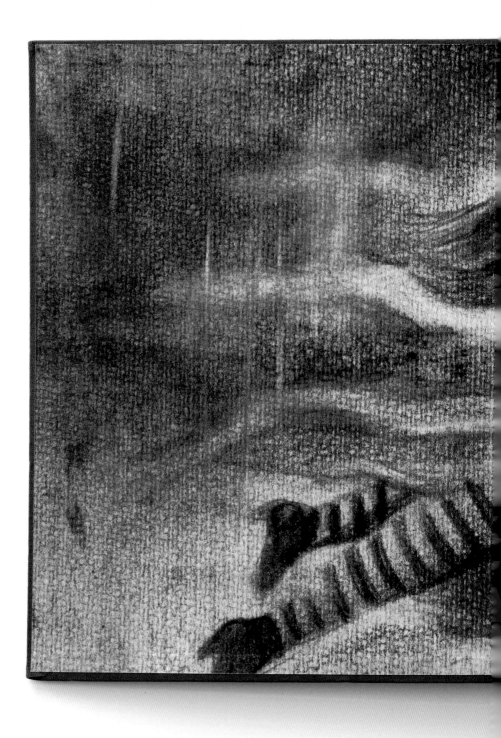

know. Come on!'

'Everybody says "come on!" here,' thought Alice, as she went slowly after it: 'I never was so ordered about in all my life, never!'

They had not gone far before they saw the Mock Turtle in the distance, sitting sad and lonely on a little ledge of rock, and, as they came nearer, Alice could hear him sighing as if his heart would break. She pitied him deeply: 'What is his sorrow?' she asked the Gryphon, and the Gryphon answered, very nearly in the same words as before, 'It's all his fancy, that: he hasn't got no sorrow, you know. Come on!'

So they went up to the Mock Turtle, who looked at them with large eyes full of tears, but said nothing.

'This here young lady,' said the Gryphon, 'she wants for to know your history, she do.'

'I'll tell it her,' said the Mock Turtle in a deep, hollow tone: 'sit down, both of you, and don't speak a word till I've finished.'

So they sat down, and nobody spoke for some minutes. Alice thought to herself, 'I don't see how he can *ever* finish, if he doesn't begin.' But she waited patiently.

'Once,' said the Mock Turtle at last, with a deep sigh, 'I was a real Turtle.'

These words were followed by a very long silence, broken only by an occasional exclamation of 'Hjckrrh!' from the Gryphon, and the constant heavy sobbing of the Mock Turtle. Alice was very nearly getting up and saying, 'Thank you, sir, for your interesting story,' but she could not help thinking there *must* be more to come, so she sat still and said nothing.

'When we were little,' the Mock Turtle went on at last, more calmly, though still sobbing a little now and then, 'we went to school in the sea. The master was an old Turtle — we used to call him Tortoise —'

'Why did you call him Tortoise, if he wasn't one?' Alice asked.

'We called him Tortoise because he taught us,' said the Mock Turtle angrily: 'really you are very dull!'

'You ought to be ashamed of yourself for asking such a simple question,' added the Gryphon; and then they both sat silent and looked at poor Alice, who felt ready to sink into the earth. At last the Gryphon said to the Mock Turtle, 'Drive on, old fellow! Don't be all day about it!' and he went on in these words:

'Yes, we went to school in the sea, though you mayn't believe it —'

'I never said I didn't!' interrupted Alice.

'You did,' said the Mock Turtle.

'Hold your tongue!' added the Gryphon, before Alice could speak again. The Mock Turtle went on.

'We had the best of educations — in fact, we went to school every day —'

'I've been to a day-school, too,' said Alice; 'you needn't be so proud as all that.'

'With extras?' asked the Mock Turtle a little anxiously.

'Yes,' said Alice, 'we learned French and music.'

88

pose Dinah'll be sending me on messages next!' And she began fancying the sort of thing
that would happen: ' "Miss Alice! Come here directly, and get ready for your walk!"
"Coming in a minute, nurse! But I've got to watch this mouse-hole till Dinah comes back,
and see that the mouse doesn't get out." Only I don't think,' Alice went on, 'that they'd let
Dinah stop in the house if it began ordering people about like that!'

By this time she had found her way into a tidy little room with a table in the window,
and on it (as she had hoped) a fan and two or three pairs of tiny white kid gloves: she
took up the fan and a pair of the gloves, and was just going to leave the room, when her
eye fell upon a little bottle that stood near the looking-glass. There was no label this time
with the words 'DRINK ME,' but nevertheless she uncorked it and put it to her lips. 'I know
something interesting is sure to happen,' she said to herself, 'whenever I eat or drink any-
thing; so I'll just see what this bottle does. I do hope it'll make me grow large again, for
really I'm quite tired of being such a tiny little thing!'

It did so indeed, and much sooner than she had expected: before she had drunk half
the bottle, she found her head pressing against the ceiling, and had to stoop to save her neck
from being broken. She hastily put down the bottle, saying to herself 'That's quite enough
— I hope I shan't grow any more — As it is, I can't get out at the door — I do wish I hadn't
drunk quite so much!'

Alas! it was too late to wish that! She went on growing, and growing, and very soon
had to kneel down on the floor: in another minute there was not even room for this, and
she tried the effect of lying down with one elbow against the door, and the other arm curled
round her head. Still she went on growing, and, as a last resource, she put one arm out of
the window, and one foot up the chimney, and said to herself 'Now I can do no more,
whatever happens. What *will* become of me?'

Luckily for Alice, the little magic bottle had now had its full effect, and she grew no
larger: still it was very uncomfortable, and, as there seemed to be no sort of chance of her
ever getting out of the room again, no wonder she felt unhappy.

'It was much pleasanter at home,' thought poor Alice, 'when one wasn't always grow-
ing larger and smaller, and being ordered about by mice and rabbits. I almost wish I hadn't
gone down that rabbit-hole — and yet — and yet — it's rather curious, you know, this sort
of life! I do wonder what *can* have happened to me! When I used to read fairy-tales, I
fancied that kind of thing never happened, and now here I am in the middle of one! There
ought to be a book written about me, that there ought! And when I grow up, I'll write one
— but I'm grown up now,' she added in a sorrowful tone; 'at least there's no room to
grow up any more *here.'*

'But then,' thought Alice, 'shall I *never* get any older than I am now? That'll be a
comfort, one way — never to be an old woman — but then — always to have lessons to
learn! Oh, I shouldn't like *that!'*

'Oh, you foolish Alice!' she answered herself. 'How can you learn lessons in here?
Why, there's hardly room for *you*, and no room at all for any lesson-books!'

38

『이상한 나라의 앨리스』
Alice in Wonderland
가네코 구니요시 Kuniyoshi Kaneko
Media Factory, 2000, 도쿄

일본의 화가 가네코 구니요시는 평생 세 번에 걸쳐 앨리스를 그렸다. 1974년 이탈리아의 타자기 회사 올리베티에서 크리스마스 선물로 제작한 책이 첫 번째이고, 두 번째는 1994년 일본의 출판사인 신초샤에서 문고본으로 출간되었다. 세 번째로 2000년 도쿄에서 출판된 이 책은 그가 평생 그려 온 앨리스의 결정판이다. 그가 생각하는 자유로운 소녀를 석판화로 표현했다. 이때 앨리스는 짙은 눈 화장을 한 팜 파탈 이미지로 묘사된다. 믿기지 않는 일이 연속적으로 일어나 혼란스러운 상황에 처한 앨리스를 나른한 표정으로 그려 냈다. 카오스에 빠진 것이 분명한 이 소녀를 정적이고 무심하게 표현함으로써 작품이 지닌 이중적인 면모를 강조해서 보여 준다.

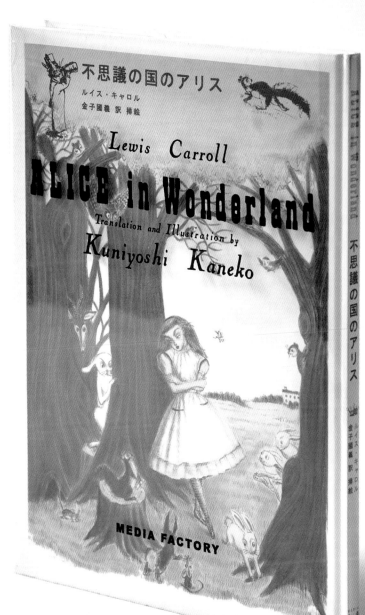

不思議の国のアリス

ルイス・キャロル

金子國義 訳 挿絵

Lewis Carroll

ALICE in Wonderland

Translation and Illustration by

Kuniyoshi Kaneko

MEDIA FACTORY

それを聞いた女王さまが、いきなり叫んだので、法廷の中は大騒ぎになりました。

そして、騒ぎがおさまったときには、料理番の女は姿を消していました。

「つぎの証人を呼んで」王さまが言いました。

白ウサギが、いそがしそうに名簿をめくっているのを見て、アリスは、つぎはだれが

するとびっくりしたことに、名簿のいちばんはじめに書いてある名を大声で呼びました。

「アリス！」

「はい」と、足を上がって、またびっくりして、

「アリス！」呼ばれたアリスは、びっくりして、

気がつかないうちに、またまた大きくなっていたではありませんか。

「このぐずめ」たぶん作について、なにか知っているか

と、王さまがたずねました。

「なにも存じません」アリスは答えました。

별난 시

5

앨리스의 모험담은 시에서 출발한다. 두 편의 권두시는 꿈같은 오후와 행복한 여름날의 서정을 노래한다. 본문에 등장하는 시들은 빅토리아 시대에 유행했던 시나 유행가를 패러디하고 있다. 당대의 시에는 사회, 문화, 인간관계, 도덕 등이 반영되는데, 앨리스의 세계에서는 거기에 캐럴의 말장난과 난센스, 상상력과 창의성이 결합되어 기묘하고 다채로운 세계를 구성한다.

이러한 시들은 일종의 비유나 상징으로 작동하기도 한다. 『이상한 나라의 앨리스』에서 악어의 시는 꿀벌이 주인공인 아이작 와츠Isaac Watts의 시 「작고 바쁜 꿀벌은 어떻게 지내는가How Doth the Little Busy Bee」를 패러디한 것이다. 캐럴은 부지런히 날아다니는 꿀벌과 가장 거리가 먼 동물로써 느릿느릿 움직이는 악어를 선택한다. 이때 시는 당대의 상상력과 창의성을 담아내는 그릇이자, 리듬과 운율을 내포하는 각각의 음악이 된다. 독자들은 작품 곳곳에서 별난 시들을 발견하는 재미를 누릴 수 있다.

ABSURD POEMS

MARIE LAURENCIN
BARRY
MOSER
ALBERT
SCHINDEHÜTTE
FRANCISZKA
THEMERSON

마리 로랑생
배리 모저
알베르트 쉰데휘테
프란치스카 테머슨

천상의 여성들과 매혹적인 세계를 부드러운 파스텔 색상으로 표현한 마리 로랑생의 『이상한 나라의 앨리스』이다. 1930년 파리의 블랙선 프레스에서 790부 한정판으로 출간되었다. 블랙선 프레스는 1920~1940년대 제임스 조이스, 오스카 와일드 등의 작품을 고급 종이에 인쇄하여 한정 출판했고, 그 책들은 희귀본 수집가들 사이에서 가치와 예술성을 인정받고 있다. 이 책은 살바도르 달리, 막스 에른스트와 함께 미술가가 그린 『이상한 나라의 앨리스』 3대 책으로 꼽힌다.

권두에 여섯 점의 컬러 석판화가 수록되어 있다. 각각의 일러스트에는 하얀 원피스에 검은 리본을 맨 앨리스가 때로는 아이처럼, 때로는 성숙한 모습으로 그려져 있다. 여왕과 앨리스의 언니 등 여성 캐릭터들만 등장하는 점이 특징적이다. 마리 로랑생은 색연필의 자연스러운 흔적과 특유의 맑은 색감으로 앨리스를 부드러운 소녀들의 동화로 해석해 냈다. 이 책은 표지 또한 눈길을 끈다. 연한 블루 마블링 종이와 짙은 블루 모로코가죽을 사용하고 금박 토끼 장식을 더한 표지가 매력적이다.

『이상한 나라의 앨리스』
Alice in Wonderland
마리 로랑생 Marie Laurencin
Black Sun Press, 1930, 파리

her lap as if she were saying lessons, and began to repeat it, but her voice sounded hoarse and strange, and the words did not come the same as they used to do:—

"How doth the little crocodile
    Improve his shining tail,
And pour the waters of the Nile
    On every golden scale!

"How cheerfully he seems to grin,
    How neatly spreads his claws,
And welcomes little fishes in,
    With gently smiling jaws!"

"I'm sure those are not the right words," said poor Alice, and her eyes filled with tears again as she went on. "I must be Mabel, after all, and I shall have to go and live in that poky little house, and have next to no toys to play with and oh! ever so many lessons to learn! No, I've made up my mind about it; if I'm Mabel, I'll stay down here! It'll be no use their putting their heads down and saying 'Come up again, dear!' I shall only look up and say 'Who am I, then? Tell me that first, and then, if I like being that person, I'll come up: if not, I'll stay down here till I'm somebody else'—but, oh dear!" cried

12

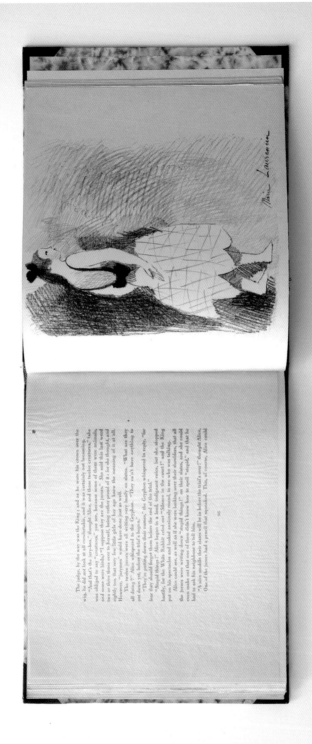

The judge, by the way, was the King; and as he wore his crown over the wig, he did not look at all comfortable, and it was certainly not becoming.

"And that's the jury-box," thought Alice, "and those twelve creatures," (she was obliged to say "creatures," you see, because some of them were animals, and some were birds,) "I suppose they are the jurors." She said this last word two or three times over to herself, being rather proud of it: for she thought, and rightly too, that very few little girls of her age knew the meaning of it at all. However, "jurymen" would have done just as well.

The twelve jurors were all writing very busily on slates. "What are they all doing?" Alice whispered to the Gryphon. "They can't have anything to put down yet, before the trial's begun."

"They're putting down their names," the Gryphon whispered in reply, "for fear they should forget them before the end of the trial."

"Stupid things!" Alice began in a loud, indignant voice, but she stopped hastily, for the White Rabbit cried out "Silence in the court!" and the King put on his spectacles and looked anxiously round, to see who was talking.

Alice could see, as well as if she were looking over their shoulders, that all the jurors were writing down "stupid things!" on their slates, and she could even make out that one of them didn't know how to spell "stupid," and that he had to ask his neighbour to tell him.

"A nice muddle their slates will be in before the trial's over!" thought Alice.

One of the jurors had a pencil that squeaked. This, of course, Alice could

Marie Laurencin

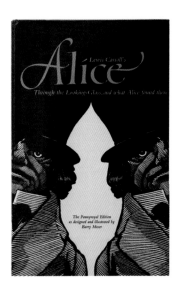

『거울 나라의 앨리스』
Through the Looking-Glass
배리 모저 Barry Moser
University of California Press, 1983,
캘리포니아

배리 모저는 영미 문학을 언급할 때 빼놓을 수 없는 일러스트레이터이다.
『프랑켄슈타인』『모비딕』『셜록 홈스의 모험』 등 영미권의 주요 작품들이
그의 손을 거쳤다. 그는 성인이 될 때까지 『앨리스』를 읽어 본 적이 없었다.
그런 그에게 『앨리스』는 아름답고 환상적인 작품이 아니라 일종의 악몽으로
다가왔다. 목판화로 표현된 뚜렷한 흑백 음영과 쏟아져 내리는 듯한 선은
토끼, 모자 장수, 여왕 등을 위협적인 존재로 드러낸다. 이처럼 앨리스의
눈으로 바라본 듯한 등장인물들은 불길하고 스산한 분위기로 책의 독창적인
면모를 강화한다. 이 책에서 앨리스는 처음과 마지막 장면, 거울에 비친 모습,
초상화로 단 네 차례 등장한다. 얼굴에 드리운 그림자와 굳게 다문 입매는
위태로운 세계에 놓인 앨리스의 불안을 강렬하게 형상화한다.

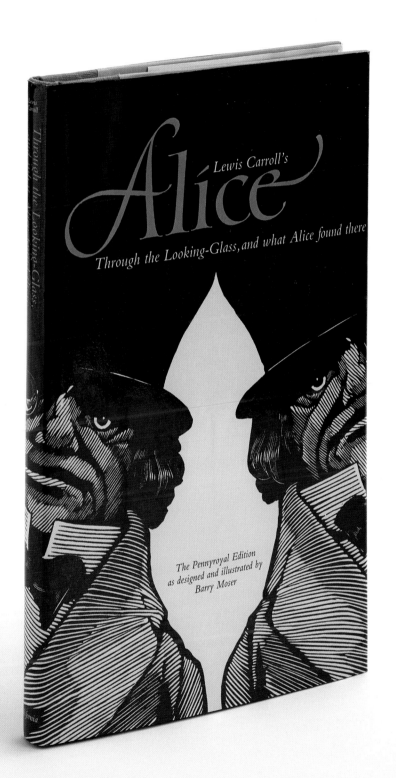

Lewis Carroll's

Alice

Through the Looking-Glass, and what Alice found there

The Pennyroyal Edition
as designed and illustrated by
Barry Moser

208

209

IV

Tweedledum and Tweedledee

Tweedledum and Tweedledee

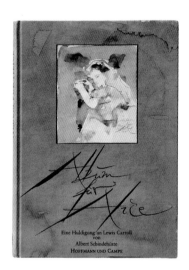

알베르트 쉰데휘테는 드로잉과 에칭, 목판화 등 다양한 기법으로 작품 활동을
펼치고 있는 독일의 그래픽 아티스트이다. 그는 원작에 경의를 표하는 마음을
담아 루이스 캐럴이 찍은 앨리스의 사진을 재해석했다. 펜 드로잉으로 그려진
모노톤의 앨리스는 차분한 색조로 채색되어 담백한 느낌을 전해 준다. 또한
선의 굵기, 잉크의 농담, 과감한 서체와 어우러져 독특한 분위기를 자아낸다.
이 책은 자유롭게 흐르는 듯한 선과 캘리그래피의 조화로 독특한 예술성을
보여 준다. 그림을 자세히 들여다보면 체셔 고양이가 앨리스의 머리를 토끼
귀처럼 들어 올린 장면이나 앨리스가 고슴도치를 타고 강을 건너는 장면
등에서 유머와 위트를 발견할 수 있다.

『앨리스 앨범』

Album für Alice

알베르트 쉰데휘테 Albert Schindehütte

Hoffmann und Campe, 1993, 함부르크

ALBUM FÜR ALICE

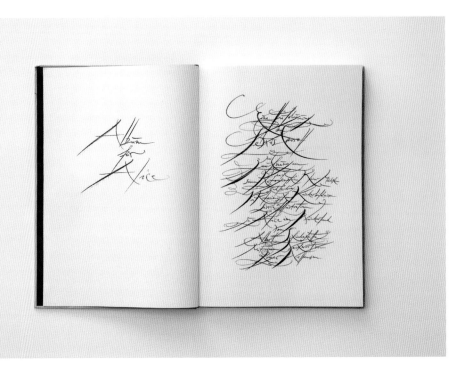

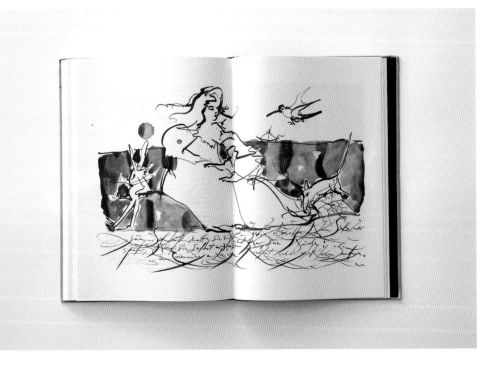

214

215

216

217

2001년 영국에서 출판된 『거울 나라의 앨리스』로 420부 한정판 중
48권이다. 폴란드 출신으로 영국에서 활동한 프란치스카 테머슨이
일러스트를 그렸다. 그녀는 쇼팽 음악 대학과 바르샤바 미술 학교를
졸업하고 사진작가인 스테판 테머슨과 결혼했다. 두 사람은 프랑스를 거쳐
영국으로 넘어와서 실험적인 출판물을 내는 가버보커스 프레스를 설립했다.
가버보커스Gaberboccus는 『이상한 나라의 앨리스』에 나오는 난센스 시
「재버워키」를 라틴어로 바꾼 것이다.
프란치스카 테머슨은 아르데코의 전통과 러시아 구성주의 그림책의 영향을
받은 일러스트 작업을 이어 갔다. 1946년에 그녀는 한 출판사로부터 『거울
나라의 앨리스』 작업을 제안받았다. 그러나 작업이 완료된 직후 전후의 어려운
시장 상황 때문에 출판이 연기되었고, 2001년에 한정판으로 유명한 영국의
잉키 패럿 프레스에서 출판되었다.
그녀는 앨리스의 등장인물들을 명암 없이 단순한 선과 밝은 면으로 그려 냈다.
특히 현실 세계에서 거울 나라로 넘어간 앨리스는 검은색으로, 거울 나라의
등장인물들은 붉은색과 푸른색으로 표현하여 직관적으로 차원을 달리했다.
이러한 색의 대비는 시각적인 재미를 선사한다. 또한 초록색 가죽으로 감싼
책등은 고급스러움을 더해 준다. 이외에도 그녀가 그린 드로잉 여덟 점이
별도로 동봉되어 있다.

『거울 나라의 앨리스』
Through the Looking-Glass
프란치스카 테머슨 Franciszka Themerson
Inky Parrot Press, 2001, 옥스퍼드

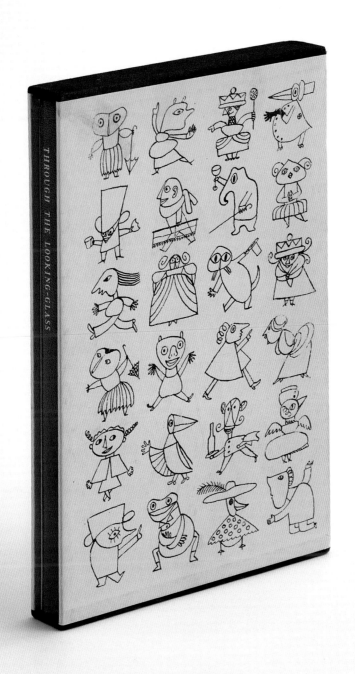

220

221

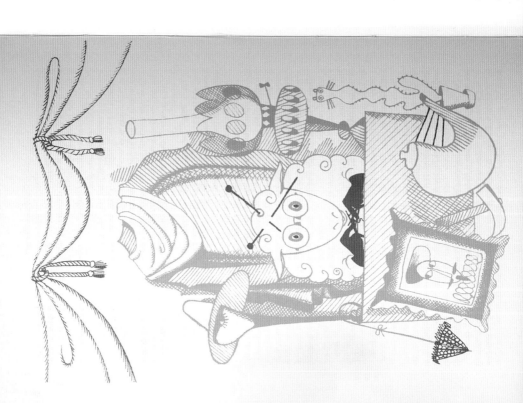

"No, but I meant – please, may we wait and pick some?" Alice pleaded. "If you don't mind stopping the boat for a minute."

"How am *I* to stop it?" said the Sheep. "If you leave off rowing, it'll stop of itself."

So the boat was left to drift down the stream as it would, till it glided gently in among the waving rushes. And then the little sleeves were carefully rolled up, and the little arms were plunged in elbow-deep to get the rushes a good long way down before breaking them off – and for a while Alice forgot all about the Sheep and the knitting, as she bent over the side of the boat, with just the ends of her tangled hair dipping into the water – while with bright eager eyes she caught at one bunch after another of the darling scented rushes.

"I only hope the boat won't tipple over!" she said to herself. Oh, *what* a lovely one! Only I couldn't quite reach it." And it certainly *did* seem a little provoking ("almost as if it happened on purpose," she thought) that, though she managed to pick plenty of beautiful rushes as the boat glided by, there was always a more lovely one that she couldn't reach.

"The prettiest are always further!" she said at last, with a sigh at the obstinacy of the rushes in growing so far off, as, with flushed cheeks and dripping hair and hands, she scrambled back into her place, and began to arrange her new-found treasures.

What mattered it to her just than that the rushes had begun to fade, and to lose all their scent and beauty, from the very moment that she picked them? Even real scented rushes, you know, last only a very little while – and these, being dream-rushes, melted away almost like snow, as they lay in heaps at her feet – but Alice hardly noticed this, there were so many other curious things to think about.

They hadn't gone much farther before the blade of one of the oars got fast in the water and *wouldn't* come out again (so Alice explained it afterwards), and the consequence was that the handle of it caught her under the chin, and, in spite of a series of little shrieks of "Oh, oh, oh!" from poor Alice, it swept her straight off the seat, and down among the heap of rushes.

However, she wasn't hurt, and was soon up again: the Sheep went on with her knitting all the while, just as if nothing had happened. "That was a nice crab you caught!" she remarked, as Alice got back into her place, very much relieved to find herself still in the boat.

"Was it? I didn't see it," said Alice, peeping cautiously over the side of the boat into the dark water. "I wish it hadn't let go – I should so like to see a little crab to take home with me!" But the Sheep only laughed scornfully, and went on with her knitting.

"Are there many crabs here?" said Alice.

"Crabs, and all sorts of things," said the Sheep: "plenty of choice, only make up your mind. Now, what *do* you want to buy?"

"To buy!" Alice echoed in a tone that was half astonished and half frightened – for the oars, and the boat, and the river, had vanished all in a moment,

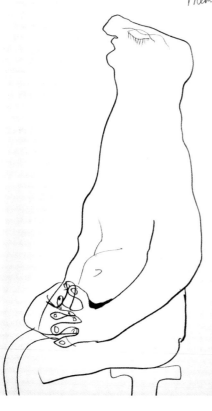

Themerice 82

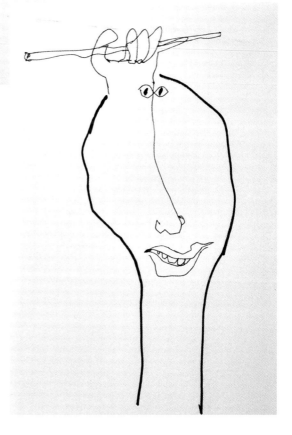

223

악몽 같은 변신

문학 작품에서 변신은 내면의 갈등과 단절을 드러내는 주요한 메타포로 사용되어 왔다. 그 자체가 제목이 된 작품(오비디우스의 『변신 이야기』, 프란츠 카프카의 『변신』)도 있고, 중심 장치로 활용되는 경우(로버트 루이스 스티븐슨의 『지킬 박사와 하이드 씨』, 요한 볼프강 폰 괴테의 『파우스트』)도 있다. 변신하는 인물은 언제나 격정적인 갈등과 유혹에 휩싸인다. 캐릭터를 파괴시키기도 하고 성장시키기도 하는 변신은 물론 자연법칙에서 간단히 벗어난다. 시간과 공간의 지배를 받는 인간의 한계에서 벗어나 세상의 단면을 마주하게 한다는 측면에서 매력적인 장치이다.

앨리스는 어린 나이에도 예의를 갖추려 노력하고, 논리적으로 이야기하며, 어떤 행동이든 합당한 이유가 있어야 한다고 주장한다. 그런 앨리스에게 변신은 지금까지 지켜 왔던 가치 체계가 무너지는 경험이다. 앞으로 다가올 사춘기의 신체적 변화를 그린 것으로 이해할 수도 있겠지만, 루이스 캐럴은 여기서 〈정체〉보다는 〈변화〉에 초점을 둔다. 처음에 앨리스는 급격한 변화를 겪으면서 의기소침해지지만, 어느 정도 적응하고 나서는 오히려 그 변화를 당당하게 받아들인다. 외형이 변해도 본질은 여전하다는 것을 깨달았기 때문이 아닐까? 자신의 본질을 바꿀 수 있는 것은 통제 불가능한 외부 요인이 아니라 그 변신을 경험하고 소화해 내는 주체로서 오직 자신뿐이라는 것을 말이다.

TRANSFORMATION

RALPH STEADMAN
MAGGIE TAYLOR
YAYOI KUSAMA

랠프 스테드먼
매기 테일러
구사마 야요이

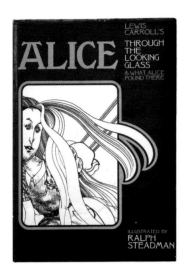

영국을 대표하는 일러스트레이터 랠프 스테드먼은 정치적·사회적 이슈를
담은 그림으로 유명하다. 그는 『동물 농장』 『보물섬』 『이상한 나라의 앨리스』
등을 통해 굴절된 사회상을 풍자적으로 그려 내며 일러스트의 영역을
확장했다.
『거울 나라의 앨리스』 출간 1백 주년을 기념하는 이 책에서 그는 흑백
체스 판을 배경으로 극적이고 혼란스러운 세계를 연출한다. 루이스 캐럴의
얼굴을 한 하얀 기사, 무표정한 은행가로 변한 트위들덤과 트위들디,
혓바닥이 유니언잭인 재버워키, 세일러복을 입은 사자와 유니콘 등 다양하게
비틀고 변주한 캐릭터들이 눈길을 사로잡는다. 펼친 면을 과감하게 채운
그로테스크한 장면과 살아 있는 듯 사방으로 뻗어 나가는 앨리스의 긴
머리카락이 폭발적인 에너지로 거울 속 환상의 세계를 넘나든다.

『거울 나라의 앨리스』
Through the Looking-Glass
랠프 스테드먼 Ralph Steadman
MacGibbon & Kee, 1972, 런던

LEWIS
CARROLL'S

THROUGH
THE
LOOKING
GLASS

& WHAT ALICE
FOUND THERE

ÆLICE

ILLUSTRATED BY
RALPH
STEADMAN

Cent
The
Lew

Thro
hund
best t
perha
Adve
perfe
dazzl

Man
Alice
few h
Tenn
story
for n
Adve
1972
Men
illust
year:
done
his n
achi

Stea
view
him
the v
pass
sym
disc
beer
Whi
the f
him

The
has
this
the l
but
corr
188
in tl

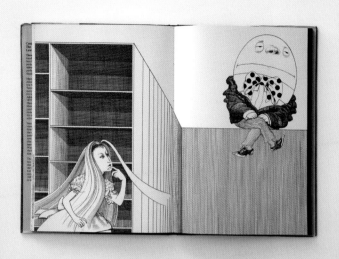

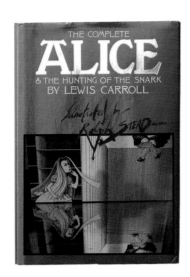

『앨리스 전집과 스나크 사냥』
The Complete Alice & The Hunting
of the Snark
랩프 스테드먼 Ralph Steadman
Jonathan Cape, 1986, 런던

1986년 런던에서 출판된 『이상한 나라의 앨리스와 거울 나라의 앨리스』
합본이다. 루이스 캐럴의 연작시 「스나크 사냥」이 추가로 수록되어 있다.
이 책에는 사회 현실과 정치 상황을 날카롭게 풍자해 낸 랩프 스테드먼의
시각이 고스란히 담겨 있다. 큰 회중시계를 들고 허둥거리는 토끼는 늘 시간에
쫓기는 현대의 직장인을, 주먹을 불끈 쥔 카드 병정들은 영국의 노동조합원을
모델로 했다. 코카콜라 병으로 그려진 유리병이나 유니언잭 선글라스를 낀
모자 장수의 모습에서 1980년대 영국의 모순적이고 급진적인 사회상을 엿볼
수 있다. 랩프 스테드먼의 과장된 스타일은 현대 자본주의 사회에서 무기력한
개인의 모습을 거침없이 드러낸다. 독자들은 통제 불가능한 앨리스의
모습에서 패닉 상태에 빠진 자신의 모습을 발견할 수 있다.

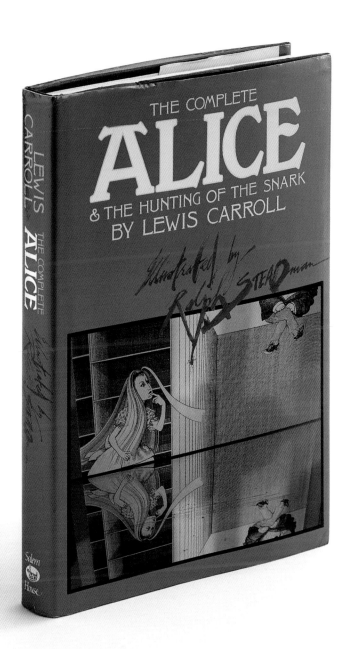

head, she tried to get her head down to *them*, and was delighted to find that her neck would bend about easily in any direction, like a serpent. She had just succeeded in curving it down into a graceful zigzag, and was going to dive in among the leaves, which she found to be nothing but the tops of the trees under which she had been wandering, when a sharp hiss made her draw back in a hurry: a large pigeon had flown into her face, and was beating her violently with its wings.

"Serpent!" screamed the Pigeon.

"I'm *not* a serpent!" said Alice indignantly. "Let me alone!"

"Serpent, I say again!" repeated the Pigeon, but in a more subdued tone, and added, with a kind of sob, "I've tried every way, but nothing seems to suit them!"

"I haven't the least idea what you're talking about," said Alice.

"I've tried the roots of trees, and I've tried banks, and I've tried hedges," the Pigeon went on, without attending to her; "but those serpents! There's no pleasing them!"

Alice was more and more puzzled, but she thought that there was no use in saying anything more till the Pigeon had finished.

55

미국의 아티스트인 매기 테일러는 디지털 포토몽타주photomontage
작업으로 유명하다. 여러 장의 사진을 자르고 결합하여 하나의 새로운
이미지를 만들어 내는 포토몽타주는 19세기 말 새로운 표현을 위한
예술적 시도로서 등장했다. 그녀는 다양한 사진과 물건들을 직접 촬영해서
사용하다가 디지털 방식으로 전환한 뒤 더욱 초현실적인 몽타주를 만들어
내기 시작했다.
그녀는 앨리스의 세계에서 자신의 작품 세계와 연결되는 이미지들을 발견해
냈다. 이 책에는 포토몽타주 기법으로 작업한 45점의 작품이 수록되어 있다.
빅토리아 시대 소녀의 사진을 중심으로 19세기 인물 사진으로 만들어 낸
등장인물들은 신비롭고 몽환적인 표정, 다채로운 옷과 배경으로 독특한
분위기를 연출한다.

『이상한 나라의 앨리스』
Alice's Adventures in Wonderland
매기 테일러 Maggie Taylor
Modernbook Gallery, 2008, 샌프란시스코

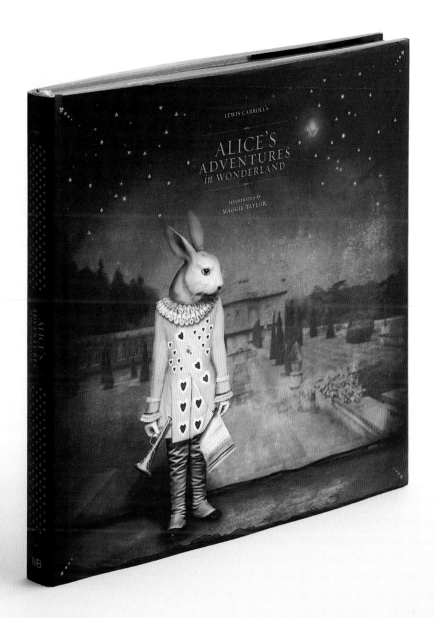

238

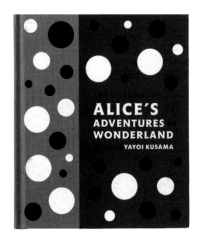

빨간색과 파란색이 대비를 이룬 물방울무늬 표지가 눈길을 끄는 이 책은
2012년 런던의 펭귄북스에서 출판한 『이상한 나라의 앨리스』이다. 평생 작은
물방울로 자신의 예술 세계를 표현해 온 구사마 야요이가 일러스트를 그렸다.
이 책에서 그녀는 단정한 원피스와 앞치마, 구두로 정형화되어 있던 앨리스의
이미지에서 벗어나 자유로운 상상의 나래를 펼쳐 보인다. 책 곳곳에 그려진
각양각색의 물방울무늬 꽃과 나비는 신비로우면서도 그로테스크한 느낌을
전해 준다.
〈앨리스가 보여 주는 무한한 화려함과 따스함에 반해 그 세계의 아름다운
환영을 포획하고자 했다〉라고 밝힌 구사마 야요이는 예측할 수 없는 앨리스의
세계가 자신의 정신 세계와 다르지 않다고 보았다. 앨리스와 구사마 야요이,
두 자유로운 영혼이 만나 최적의 조합으로 완성된 이 책은 수작업 느낌이
물씬 나는 천 양장의 표지, 올 컬러로 채색된 작품, 그 위에 아름답게 어우러진
텍스트로 뛰어난 퀄리티를 선보인다. 책의 말미에는 그녀가 마음을 담아 쓴
선물 같은 글을 만날 수 있다.

『이상한 나라의 앨리스』
Alice's Adventures in Wonderland
구사마 야요이 Yayoi Kusama
Penguin Books, 2012, 런던

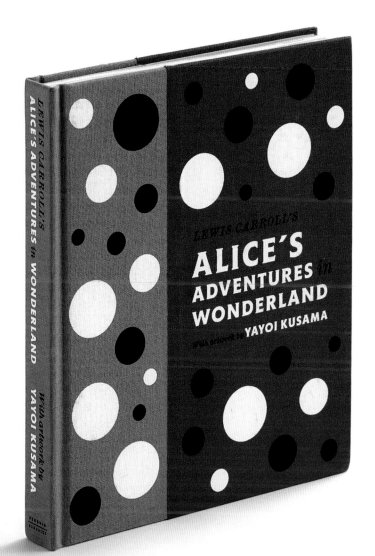

LEWIS CARROLL'S
ALICE'S ADVENTURES in WONDERLAND

LEWIS CARROLL'S
ALICE'S
ADVENTURES in
WONDERLAND
With artwork by YAYOI KUSAMA

With artwork by YAYOI KUSAMA

At this moment the door of the house opened, and a large plate came skimming out, straight at the Footman's head: it just grazed his nose, and broke to pieces against one of the trees behind him.

'— or next day, maybe,' the Footman continued in the same tone, exactly as if nothing had happened.

'How am I to get in?' asked Alice again, in a louder tone.

'Are you to get in at all?' said the Footman. 'That's the first question, you know.'

It was, no doubt: only Alice did not like to be told so. 'It's really dreadful,' she muttered to herself, 'the way all the creatures argue. It's enough to drive one crazy!'

The Footman seemed to think this a good opportunity for repeating his remark, with variations. 'I shall sit here,' he said, 'on and off, for days and days.'

'But what am I to do?' said Alice.

'Anything you like,' said the Footman, and began whistling.

'Oh, there's no use in talking to him,' said Alice desperately: 'he's perfectly idiotic!' And she opened the door and went in.

The door led right into a large kitchen, which was full of smoke from one end to the other: the Duchess was sitting on a three-legged stool in the middle, nursing a baby; the cook was leaning over the fire, stirring a large cauldron which seemed to be full of soup.

'There's certainly too much pepper in that soup!' Alice said to herself, as well as she could for sneezing.

There was certainly too much of it in the air. Even the Duchess sneezed occasionally; and as for the baby, it was sneezing and howling alternately without a moment's pause. The only things in the kitchen

that did not sneeze, were the cook, and a large cat which was sitting on the hearth and grinning from ear to ear.

'Please would you tell me,' said Alice, a little timidly, for she was not quite sure whether it was good manners for her to speak first, 'why your cat grins like that?'

'It's a Cheshire cat,' said the Duchess, 'and that's why. Pig!'

She said the last word with such sudden violence that Alice quite jumped; but she saw in another moment that it was addressed to the baby, and not to her, so she took courage, and went on again:—

'I didn't know that Cheshire cats always grinned; in fact, I didn't know that cats could grin.'

'They all can,' said the Duchess; 'and most of 'em do.'

'I don't know of any that do,' Alice said very politely, feeling quite pleased to have got into a conversation.

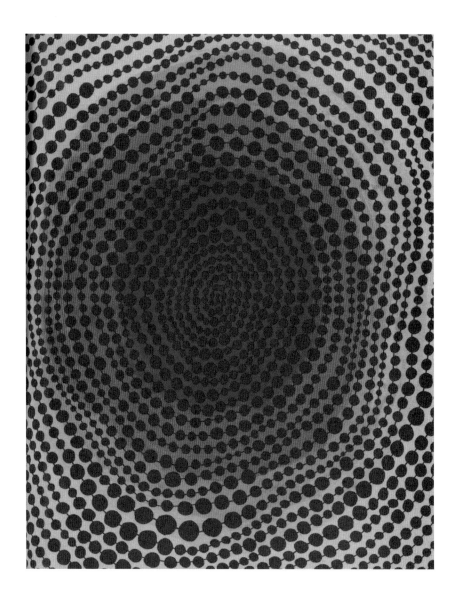

244

『거울 나라의 앨리스』
Through the Looking-Glass
매기 테일러 Maggie Taylor
Modernbook Gallery, 2018, 샌프란시스코

매기 테일러가 『이상한 나라의 앨리스』에 이어 10년 만인 2018년에 출판한 『거울 나라의 앨리스』이다. 그녀는 벼룩시장과 인터넷에서 찾은 19세기 사진과 빈티지 장난감 등을 스캔하여 포토샵으로 작업한 디지털 포토몽타주 이미지로 유명하다. 빅토리아 시대의 소녀와 인물들의 사진을 중심으로 한 이 책에는 64점의 작품이 수록되어 있다. 이전보다 다양한 소품을 사용하여 더욱 초현실적인 세계를 연출했다.

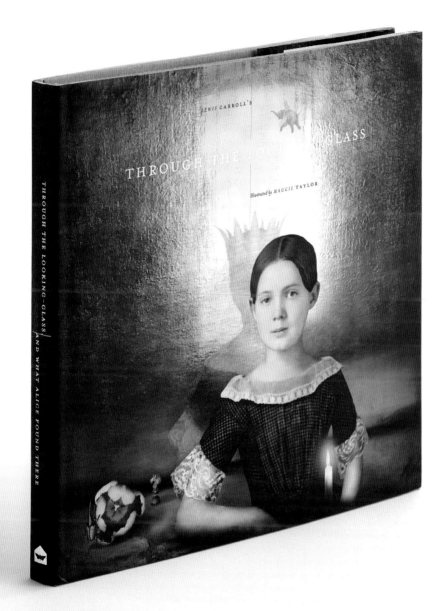

이상한 만남들

앨리스의 세계에서 만남은 모험의 전제가 된다. 하얀 토끼는 신비로운 분위기로 앨리스를 이끌지만, 왕에게 무조건 굴종하고 지체가 낮은 이들을 함부로 대하는 이기적이고 공격적인 캐릭터이다. 앨리스는 그러한 토끼와 마주칠 때마다 번번이 의문을 품고, 은근한 불쾌감까지 느낀다. 첫 만남이 평범하지 않아서일까? 그 이후 앨리스가 원더랜드에서 경험하는 만남은 자신의 생각과는 반대로 뻗어 나가 해독이 어렵다. 이상한 다과회에서 만난 모자 장수를 보며 앨리스는 생각한다. <분명히 영어를 쓰고 있는데 무슨 말을 하는지 전혀 모르겠어!>

한편 체셔 고양이와의 만남은 이상한 만남들을 이해하는 데 중요한 단서를 제공한다. <여기에 있는 우리 모두는 미쳤다>라는 체셔 고양이의 말, 즉 진실을 마주한 이후 앨리스가 맞이하는 만남들은 이전과는 다른 양상이 된다.

이렇게 만남은 자신을 둘러싼 환경을 알게 해주고, 끊임없이 사건을 유발하며, 이쪽에서 저쪽으로 또 다른 만남을 중계하기도 한다. 이상한 만남을 거듭하면서 앨리스는 부조리한 상황에 당당하게 대응하게 된다. 앨리스의 변화를 추동하는 다양한 만남들을 따라가다 보면 작품을 새롭게 인식할 수 있다.

ODD ENCOUNTERS

MAX ERNST
BARRY
MOSER
WALTER
ANDERSON
PETER BLAKE

막스 에른스트
배리 모저
월터 앤더슨
피터 블레이크

1970년 독일의 마누스 프레스에서 출판된 이 책은 1천 부 한정판이다. 독일의
초현실주의 화가인 막스 에른스트는 미술사학자 베르너 스피스Werner
Spies와 함께 루이스 캐럴의 텍스트를 선택하고 정리하여 36점의
석판화가 담긴 『루이스 캐럴의 마법 피리』를 완성한다. 이 책은 『이상한
나라의 앨리스』의 이상한 다과회 장면에서 영감을 얻은 일러스트와 전작의
일러스트가 일부 포함된 선집이다. 책의 전면에 실린 루이스 캐럴의 시
「형제와 자매Brother and Sister」는 막스 에른스트가 독일어로 번역했다.
프로타주* 기법을 사용한 그의 작품은 마치 즉흥적으로 만들어진 것처럼
보이지만 실제로는 매우 정밀히 계산된 작업을 통해서 제작된 것이다. 그의
석판화는 한눈에 의미를 해독하기가 쉽지 않다. 수학과 과학 기호는 수학자
루이스 캐럴을 나타내며, 그림의 구성에서 등장인물과 동물은 전체 맥락과
연결되지 않은 채 남아 있다. 때로는 기하학적이고 때로는 추상적으로 루이스
캐럴이 만든 환상의 세계를 일러스트로 옮겨 놓았다고 하지만, 이 책을
감상하기 위해서는 무엇보다 자신만의 상상력이 필요하다.

『루이스 캐럴의 마법 피리』
Lewis Carroll's Wunderhorn
막스 에른스트 Max Ernst
Manus Press, 1970, 슈투트가르트

* frottage. 바위나 나무 등의 대상물에 종이를 대고 연필 등으로 문질러 이미지를 얻는 기법.

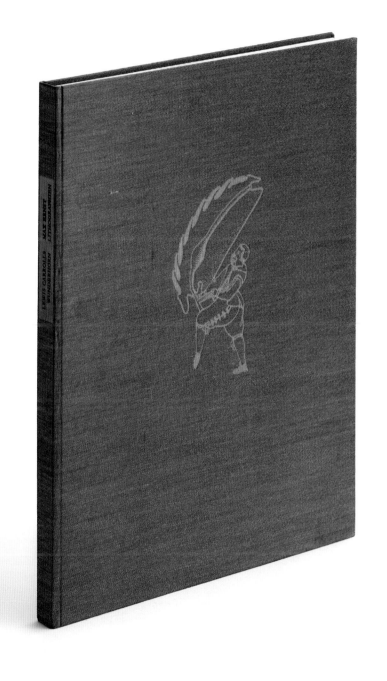

BRUDER UND SCHWESTER

»Du bist müde, Schwesterlein,
Drum hüpfe schnell ins Bett hinein.«
So sprach das brave Brüderlein.

»Was willst du? Dein Gesicht verkratzt?
Durch Hiebe deine Haut geplatzt?«
Fragt ruhig ihn das Schwesterlein.

»So leicht, als wär's ein Mottenschnippchen,
Macht' ich aus dir ein Hammelsüppchen.
Drum meide meinen Jähzorn, Püppchen.«

Der Schwester Augen sprühen Blitze.
Entrüstet schreit sie, voller Hitze:
»Versuch es nur, du Kümmelfritze!«

Zur Küche saust er wie der Wind:
»Du lieber Koch, sei wohlgesinnt
Und sag mir, wo die Pfannen sind.«

»Was willst du in den Pfannen kochen?«
»Ragout aus Haut und Fleisch und Knochen,
Das will ich in der Pfanne kochen.«

»Und was für Fleisch tust du hinein?«
»Das Fleisch wird meine Schwester sein.«
Der Koch erwidert höflich: »Nein.«

Die Moral von der Geschicht':
Koche deine Schwester nicht.

254

Achilles had overtaken the Tortoise, and had seated himself comfortably on its back.

"So you've got to the end of our race-course?" said the Tortoise. "Even though it *does* consist of an infinite series of distances? I thought some wiseacre or other had proved that the thing couldn't be done?"

"It *can* be done." said Achilles. "It *has* been done! *Solvitur ambulando.* You see the distances were constantly *diminishing*: and so—"

"But if they had been constantly *increasing*?" the Tortoise interrupted. "How then?"

"Then I shouldn't be *here*," Achilles modestly replied; "and *you* would have got several times round the world, by this time!"

"You flatter me—*flatten*, I mean," said the Tortoise; "for you *are* a heavy weight, and *no* mistake! Well now, would you like to hear of a race-course, that most people fancy they can get to the end of in two or three steps, while it *really* consists of an infinite number of distances, each one longer than the previous one?"

"Very much indeed!" said the Grecian warrior, as he drew from his helmet (few Grecian warriors possessed *pockets* in those days) an enormous note-book and a pencil. "Proceed! And speak *slowly*, please! *Short-hand* isn't invented yet!"

"That beautiful First Proposition of Euclid!" the Tortoise murmured dreamily. "You admire Euclid?"

"Passionately! So far, at least, as one *can* admire a treatise that wo'n't be published for some centuries to come!"

"Well, now, let's take a little bit of the argument in that First Proposition— just *two* steps, and the conclusion drawn from them. Kindly enter them in your note-book. And, in order to refer to them conveniently, let's call them *A*, *B*, and *Z*:

(*A*) Things that are equal to the same are equal to each other.

(*B*) The two sides of this Triangle are things that are equal to the same.

(*Z*) The two sides of this Triangle are equal to each other."

– 68 –

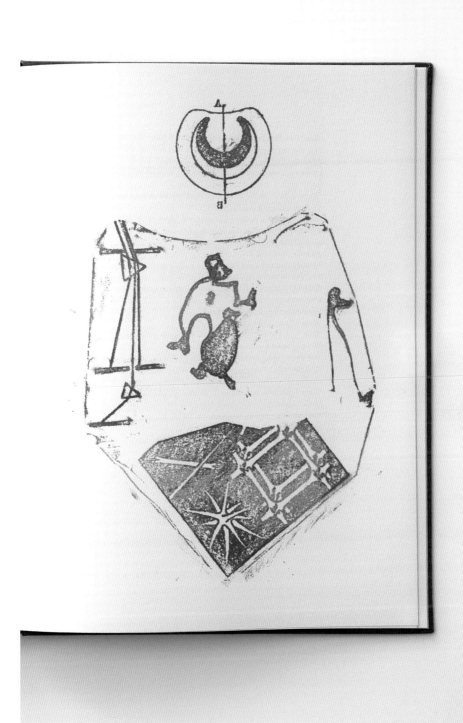

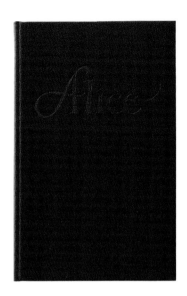

미국의 판화가이자 일러스트레이터인 배리 모저는 『이상한 나라의 앨리스』를
〈악몽〉처럼 그리고 싶었다. 그에게 성인이 되어 처음으로 접한 앨리스는
아이들만을 위한 작품으로 여겨지지 않았다. 사람의 얼굴로 그려 낸 애벌레나
털이 없는 스핑크스 고양이로 표현한 체셔 고양이가 그의 흑백 판화와
만나면서 더욱 불길하고 그로테스크해졌다.

그는 1982년에 자신이 설립한 출판사 페니로열에서 『이상한 나라의 앨리스』
일반판을 출간했고, 같은 해에 캘리포니아 대학 출판부에서 디럭스판을
발행했다. 이 책은 붉은색 천으로 감싼 표지에 붉은색 메탈 박으로 제목을
새겨 넣은 디럭스판이다. 제목은 푸른색으로, 주석은 붉은색으로 표시해서
강렬한 인상을 더했다. 그가 직접 사인한 모자 장수의 목판화를 따로 보관
패널에 넣어 책과 함께 슬립 케이스에 담았다. 이러한 예술성을 인정받아 그는
1983년에 이 책으로 전미도서상 디자인과 일러스트레이션 부문을 수상했다.

『이상한 나라의 앨리스』
Alice's Adventures in Wonderland
배리 모저 Barry Moser
University of California Press, 1982,
캘리포니아

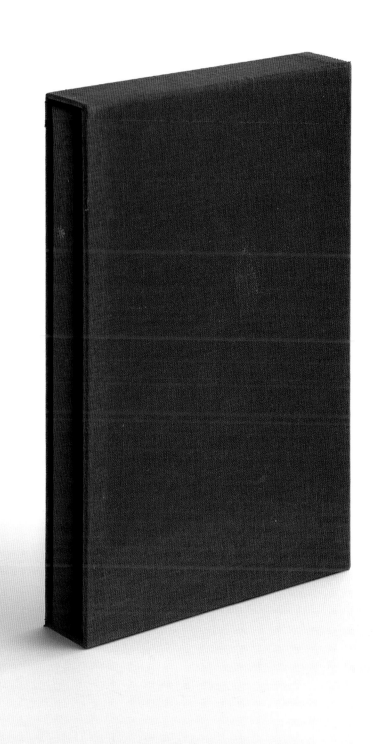

But her sister sat still just as she left her, leaning her head on her hand, watching the setting sun, and thinking of little Alice and all her wonderful Adventures, till she too began dreaming after a fashion, and this was her dream:—

First, she dreamed about little Alice herself: once again the tiny hands were clasped upon her knee, and the bright eager eyes were looking up into hers—she could hear the very tones of her voice, and see that queer little toss of her head to keep back the wandering hair that *would* always get into her eyes—and still as she listened, or seemed to listen, the whole place around her became alive with the strange creatures of her little sister's dream.

The long grass rustled at her feet as the White Rabbit hurried by—the frightened Mouse splashed its way through the neighbouring pool—she could hear the rattle of the teacups as the March Hare and his friends shared their never-ending meal, and the shrill voice of the Queen ordering off her unfortunate guests to execution—once more the pig-baby was sneezing on the Duchess' knee, while plates and dishes crashed around it—once more the shriek of the Gryphon, the squeaking of the Lizard's slate-pencil, and the choking of the suppressed guinea-pigs, filled the air, mixed up with the distant sob of the miserable Mock Turtle.

So she sat on with closed eyes, and half believed herself in Wonderland, though she knew she had but to open them again, and all would change to dull reality—the grass would be only rustling in the wind, and the pool rippling to the waving of the reeds—the rattling teacups would change to tinkling sheep-bells, and the Queen's shrill cries to the voice of the shepherd-boy—and the sneeze of the baby, the shriek of the Gryphon, and all the other queer noises, would change (she knew) to the confused clamour of the busy farm-yard—while the lowing of the cattle in the distance would take the place of the Mock Turtle's heavy sobs.

Lastly, she pictured to herself how this same little sister of hers would, in the after-time, be herself a grown woman; and how she would keep, through all her riper years, the simple and loving heart of her childhood; and how she would gather about her other little children, and make *their* eyes bright and eager with many a strange tale, perhaps even with the dream of Wonderland of long ago; and how she would feel with all their simple sorrows, and find a pleasure in all their simple joys, remembering her own child-life, and the happy summer days.

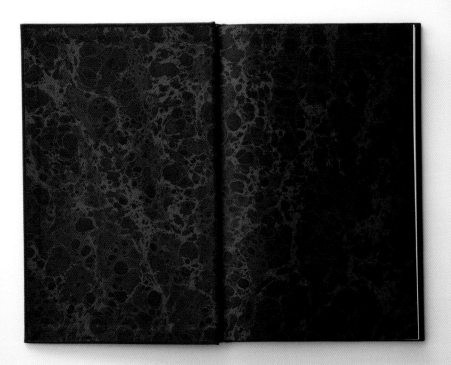

262

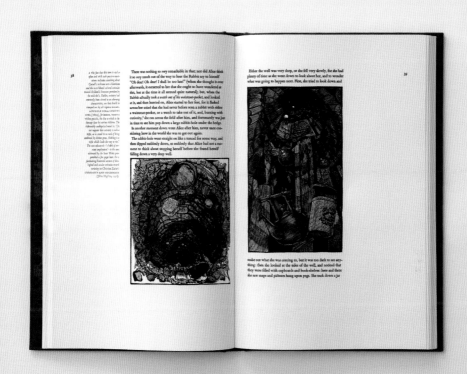

There was nothing so very remarkable in that; nor did Alice think it so very much out of the way to hear the Rabbit say to itself 'Oh dear! Oh dear! I shall be too late!' (when she thought it over afterwards, it occurred to her that she ought to have wondered at this, but at the time it all seemed quite natural); but, when the Rabbit actually took a watch out of his waistcoat-pocket, and looked at it, and then hurried on, Alice started to her feet, for it flashed across her mind that she had never before seen a rabbit with either a waistcoat-pocket, or a watch to take out of it, and, burning with curiosity, she ran across the field after him, and fortunately was just in time to see him pop down a large rabbit-hole under the hedge.

In another moment down went Alice after him, never once considering how in the world she was to get out again.

The rabbit-hole went straight on like a tunnel for some way, and then dipped suddenly down, so suddenly that Alice had not a moment to think about stopping herself before she found herself falling down a very deep well.

Either the well was very deep, or she fell very slowly, for she had plenty of time as she went down to look about her, and to wonder what was going to happen next. First, she tried to look down and

make out what she was coming to, but it was too dark to see anything: then she looked at the sides of the well, and noticed that they were filled with cupboards and book-shelves: here and there she saw maps and pictures hung upon pegs. She took down a jar

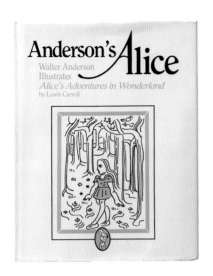

미국의 화가인 월터 앤더슨의 책에서는 푸른색 원피스를 입은 앨리스가
유독 돋보인다. 원래 그림은 흑백이었으나 출간 과정에서 앨리스의 원피스와
물에만 푸른색을 사용했다고 한다. 그는 젊은 시절 프랑스를 여행하며 선사
시대의 동굴 벽화에 깊은 인상을 받았다. 그 영향으로 마커를 사용하여
대담하게 그린 선은 원시 동물의 벽화를 연상시키며, 피카소의 입체주의
시대를 떠올리게 한다.

월터 앤더슨은 정신 분열증을 앓으며 주로 깊은 밤에 작업했다. 투병
시기 그는 『앨리스』를 읽으며 위안과 영감을 받아서, 단순한 일러스트가
아니라 이야기를 시각화하는 작업에 몰두했다. 그림 속의 꽃은 그가 살았던
미시시피주에 자생하는 야생화이고, 코커스 경주 장면에는 미시시피주 걸프
연안의 게를 그려 넣는 등 배경을 현지화했다. 이 책은 그가 사망하고 20년이
지난 뒤 그의 딸에 의해 출판되었다.

『앤더슨의 앨리스』
Anderson's Alice
월터 앤더슨 Walter Anderson
University Press of Mississippi, 1983,
미시시피

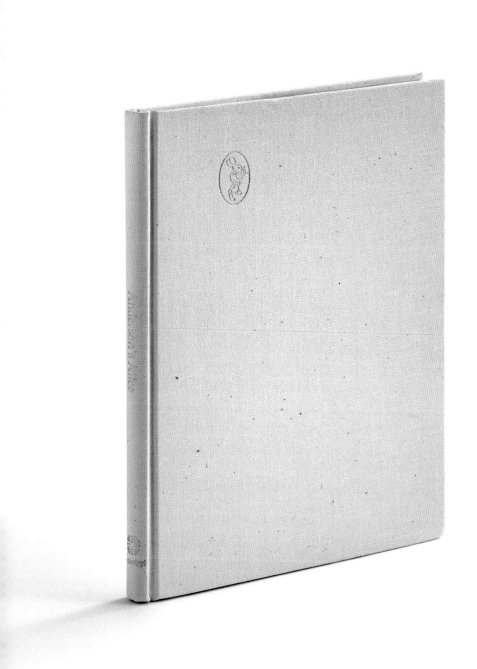

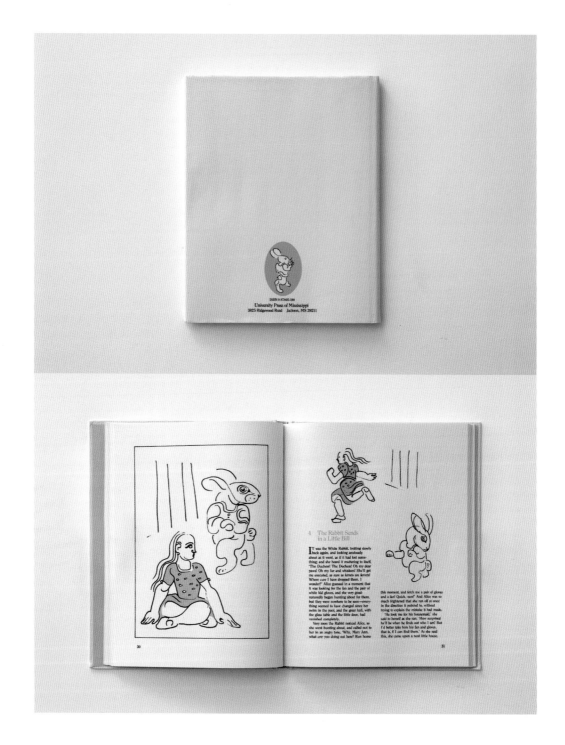

266

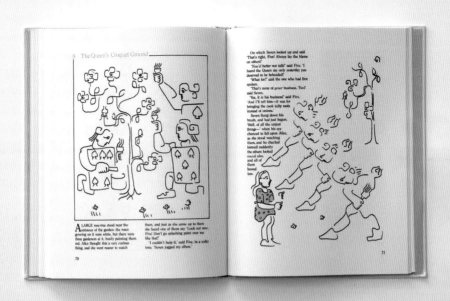

A LARGE rose-tree stood near the entrance of the garden: the roses growing on it were white, but there were three gardeners at it, busily painting them red. Alice thought this a very curious thing, and she went nearer to watch them, and just as she came up to them she heard one of them say 'Look out now, Five! Don't go splashing paint over me like that!'

'I couldn't help it,' said Five, in a sulky tone. 'Seven jogged my elbow.'

On which Seven looked up and said 'That's right, Five! Always lay the blame on others!'

'You'd better not talk!' said Five. 'I heard the Queen say only yesterday you deserved to be beheaded!'

'What for?' said the one who had first spoken.

'That's none of your business, Two!' said Seven.

'Yes, it is his business!' said Five. 'And I'll tell him—it was for bringing the cook tulip roots instead of onions.'

Seven flung down his brush, and had just begun, 'Well, of all the unjust things—' when his eye chanced to fall upon Alice, as she stood watching them, and he checked himself suddenly: the others looked round also, and all of them bowed low.

70   71

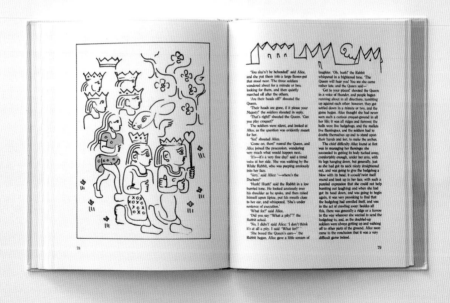

'You sha'n't be beheaded!' said Alice, and she put them into a large flower-pot that stood near. The three soldiers wandered about for a minute or two, looking for them, and then quietly marched off after the others.

'Are their heads off?' shouted the Queen.

'Their heads are gone, if it please your Majesty!' the soldiers shouted in reply.

'That's right!' shouted the Queen. 'Can you play croquet?'

The soldiers were silent, and looked at Alice, as the question was evidently meant for her.

'Yes!' shouted Alice.

'Come on, then!' roared the Queen, and Alice joined the procession, wondering very much what would happen next.

'It's—it's a very fine day!' said a timid voice at her side. She was walking by the White Rabbit, who was peeping anxiously into her face.

'Very,' said Alice: '—where's the Duchess?'

'Hush! Hush!' said the Rabbit in a low hurried tone. He looked anxiously over his shoulder as he spoke, and then raised himself upon tiptoe, put his mouth close to her ear, and whispered, 'She's under sentence of execution.'

'What for?' said Alice.

'Did you say "What a pity!"?' the Rabbit asked.

'No, I didn't,' said Alice: 'I don't think it's at all a pity. I said "What for?"'

'She boxed the Queen's ears—' the Rabbit began. Alice gave a little scream of laughter. 'Oh, hush!' the Rabbit whispered in a frightened tone. 'The Queen will hear you! You see she came rather late, and the Queen said—'

'Get to your places!' shouted the Queen in a voice of thunder, and people began running about in all directions, tumbling up against each other: however, they got settled down in a minute or two, and the game began. Alice thought she had never seen such a curious croquet-ground in all her life: it was all ridges and furrows; the balls were live hedgehogs, and the mallets live flamingoes, and the soldiers had to double themselves up and to stand upon their hands and feet, to make the arches.

The chief difficulty Alice found at first was in managing her flamingo: she succeeded in getting its body tucked away, comfortably enough, under her arm, with its legs hanging down, but generally, just as she had got its neck nicely straightened out, and was going to give the hedgehog a blow with its head, it would twist itself round and look up in her face, with such a puzzled expression that she could not help bursting out laughing; and when she had got its head down, and was going to begin again, it was very provoking to find that the hedgehog had unrolled itself, and was in the act of crawling away: besides all this, there was generally a ridge or a furrow in the way wherever she wanted to send the hedgehog to, and, as the doubled-up soldiers were always getting up and walking off to other parts of the ground, Alice soon came to the conclusion that it was a very difficult game indeed.

78   79

268

269

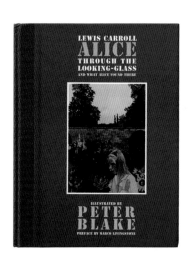

강렬한 핑크색과 푸른색의 대비로 팝 아트의 영향을 보여 주는 『거울 나라의
앨리스』이다. 비틀스의 앨범 재킷을 디자인하기도 했던 영국의 팝 아티스트
피터 블레이크가 일러스트를 그렸다. 그는 다양한 방법으로 작품 속에
대중문화를 담아냈는데, 매릴린 먼로나 엘비스 프레슬리 등 대중문화의
아이콘이나 프로 레슬링, 광고, 만화 등의 이미지를 순수 미술과 결합하여
작품에 녹여 냈다.

1960년대 말, 피터 블레이크는 런던을 떠나 교외로 이주하여 〈농촌주의
미술가 협회Brotherhood of Ruralists〉를 조직했다. 그 시기에 동료 예술가
그레이엄 오벤든Graham Ovenden과 함께 프로젝트를 진행하여 그레이엄
오벤든이 『이상한 나라의 앨리스』를, 피터 블레이크가 『거울 나라의 앨리스』를
그렸다.

이 책에는 꽃이 만발한 정원을 배경으로 주근깨까지 세밀하게 묘사된
앨리스가 등장한다. 피터 블레이크는 당시 알고 지내던 네덜란드인 가족을
모델로 하여 다양한 인물들을 그려 냈다. 말하는 꽃이나 기사가 탄 말, 영국식
정원은 신문 기사나 사진을 참고로 하여 현실과 초현실의 경계에 있는 듯 묘한
느낌을 자아낸다. 그와 동시에 부드럽고 풍부한 색감이 과거에 대한 낭만과
향수를 보여 준다. 책 말미에 작업 과정이 담긴 비하인드 스토리가 수록되어
읽는 재미를 더한다.

『거울 나라의 앨리스』
Through the Looking-Glass
피터 블레이크 Peter Blake
Merrell Publishers, 2006, 런던

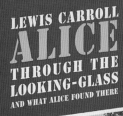

LEWIS CARROLL
ALICE
THROUGH THE
LOOKING-GLASS
AND WHAT ALICE FOUND THERE

ILLUSTRATED BY
PETER
BLAKE
PREFACE BY MARCO LIVINGSTONE

"But it isn't shi!" Tweedledum cried, in a greater fury than ever. "It's new, I tell you — I bought it yesterday — my nice NEW RATTLE!" and his voice rose to a perfect scream.   Peter Blake. 1970.

r real!" said Alice, and began to cry.

won't make yourself a bit realler by crying," Tweedledee remarked: "there's nothing
ut."

wasn't real," Alice said — half-laughing through her tears, it all seemed so ridiculous — "I
be able to cry."

pe you don't suppose those are *real* tears?" Tweedledum interrupted in a tone of great

ow they're talking nonsense," Alice thought to herself: "and it's foolish to cry about it."
ushed away her tears, and went on, as cheerfully as she could. "At any rate I'd better
out of the wood, for really it's coming on very dark. Do you think it's going to rain?"
edledum spread a large umbrella over himself and his brother, and looked up into it.
n't think it is," he said: "at least — not under *here*. Nohow."

it may rain *outside?*

nay — if it chooses," said Tweedledee: "we've no objection. Contrariwise."

fish things!" thought Alice, and she was just going to say "Good-night" and leave them,
edledum sprang out from under the umbrella, and seized her by the wrist.

you see *that?*" he said, in a voice choking with passion and his eyes grew large and
in a moment, as he pointed with a trembling finger at a small white thing lying under

only a rattle," Alice said, after a careful examination of the little white thing. "Not a
e, you know," she added hastily, thinking that he was frightened: "only an old rattle
old and broken."

ew it was!" cried Tweedledum. beginning to stamp about wildly and tear his hair. "It's
course!" Here he looked at Tweedledee, who immediately sat down on the ground, and
le himself under the umbrella.

le laid her hand upon his arm, and said, in a soothing tone, "You needn't be so angry
old rattle."

t it *isn't* old!" Tweedledum cried, in a greater fury than ever. "It's new, I tell you — I
yesterday — my nice NEW RATTLE!" and his voice rose to a perfect scream.

his time Tweedledee was trying his best to fold up the umbrella, with himself in it:
is such an extraordinary thing to do, that it quite took off Alice's attention from the
ther. But he couldn't quite succeed, and it ended in his rolling over, bundled up in the
with only his head out: and there he lay, opening and shutting his mouth and his large

"looking more like a fish than anything else," Alice thought.

course you agree to have a battle?" Tweedledum said in a calmer tone.

ppose so," the other sulkily replied, as he crawled out of the umbrella: "only *she* must
dress up, you know."

"Well, this is grand!" said Alice." I never expected I should be a Queen so soon." Peter Blake. 1970.

CHAPTER IX

QUEEN ALICE

is *is* grand!" said Alice. "I never expected I should be a Queen so soon — and I'll tell

is, your majesty;" she went on in a severe tone (she was always rather fond of scolding

'll never do for you to be lolling about on the grass like that! Queens have to be

you know!"

e got up and walked about — rather stiffly just at first, as she was afraid that the crown

e off: but she comforted herself with the thought that there was nobody to see her,

ally am a Queen," she said as she sat down again, "I shall be able to manage it quite

e."

thing was happening so oddly that she didn't feel a bit surprised at finding the Red

the White Queen sitting close to her, one on each side: she would have liked very

k them how they came there, but she feared it would not be quite civil. However, there

o harm, she thought, in asking if the game was over. "Please, would you tell me —"

looking timidly at the Red Queen.

k when you're spoken to!" the Queen sharply interrupted her.

f everybody obeyed that rule," said Alice, who was always ready for a little argument,

n only spoke when you were spoken to, and the other person always waited for *you* to

see nobody would ever say anything, so that —— "

culous!" cried the Queen. "Why, don't you see, child —— " here she broke off, with a

앨리스와 달리

토끼 굴에 떨어져 갑작스레 당도한 곳, 의인화된 동물들과 기묘한 법칙들이 존재하는 세상에서 앨리스는 이질감을 느낀다. 자신이 처한 상황을 이해해 보려고 분투하는 과정에서 자기 존재에 대해 의문을 품기도 한다. 그 세계에서 앨리스는 또 하나의 이상한 존재일 뿐이다. 그곳에서 <이상함>은 <평범함>과 다름없기 때문이다. 당차고 의연한 소녀는 자신만의 유연한 사고와 재치를 발휘해서 한 단계 한 단계 앞으로 나아간다. 그리고 두려움 없이 자신의 내부와 외부의 세계를 확장해 나간다.

살바도르 달리는 자신만의 기묘한 법칙들을 세운 초현실주의의 대표적인 예술가이다. 앨리스가 토끼 굴을 통해 이상한 나라에 진입했다면, 달리는 이미 머릿속에 존재하던 그곳을 자신의 손끝으로 실체화했다. 비논리적 이미지의 결합으로 새로운 세계를 발견할 수 있다고 여긴 달리는 앨리스가 인간에게 해방감을 주고 인식의 지평을 넓힌다고 생각했다. 그리하여 앨리스에게 자신의 주요한 상징을 부여하기로 한다. 어린 시절 달리는 저녁 식사 자리에서 친척 누나의 사망 소식을 듣는다. 평범한 일상생활에서 갑작스럽게 접한 가족의 죽음은 그에게 생경한 경험이었다. 그는 일상 속의 죽음을 줄넘기하는 소녀로 등장시켜 기념하기로 한다.

『이상한 나라의 앨리스』의 삽화를 그리게 되었을 때, 그는 삶과 죽음의 양면 사이에서 끊임없이 줄넘기하는 소녀의 이미지를 앨리스에게 투사한다. 비논리의 꿈속 세계와 거울 이면의 뒤집힌 세상에서 호기심을 동력으로 탐험을 지속하는 그 소녀에게 영원한 활력과 긴장을 선사한 것이다. 정상과 비정상, 논리와 비논리의 경계를 허무는 이 기묘한 활력의 세계에서 앨리스는 초현실주의의 상징적인 캐릭터로 자리매김한다.

ALICE AND DALI

SALVADOR DALI

살바도르 달리

세계 최대의 단행본 출판사인 랜덤하우스의 예술서 전문 브랜드 매세나스
프레스는 『이상한 나라의 앨리스』 출간 1백 주년을 기념하여 살바도르
달리에게 일러스트 작업을 의뢰한다. 그리하여 1969년에 출판된 이 책에는
달리가 그린 권두화 한 점과 열두 개의 장에 한 점씩 총 13점의 그림이
수록되었다. 또한 표제지에서 달리가 직접 남긴 서명을 확인할 수 있다.
달리의 『이상한 나라의 앨리스』는 특별판 3백 부와 일반판 2천 5백 부로
제작되었다. 특별판 3백 부에는 동판화 13점이 별도의 책으로 구성되었다.
접지된 상태로 제본하지 않은 낱장의 작품들은 가죽으로 장정된 상자에 담겨
있다. 상자 앞면에는 금박으로 달리의 서명을 새겨 넣었다.
그림마다 등장하는 줄넘기하는 소녀는 달리의 고유한 이미지이다. 1934년
달리의 「형태학적 반향Morphological Echo」이라는 그림에 처음으로 등장한
이 소녀는 삶과 죽음 사이에 존재하는 형상을 의미하게 되었다. 또한 이상한
다과회 장면에는 달리의 「기억의 지속The Persistence of Memory」에
등장하는 녹아내리는 시계 위에 티 세트가 놓여 있다.

『이상한 나라의 앨리스』
Alice's Adventures in Wonderland
살바도르 달리 Salvador Dali
Maecenas Press, 1969, 뉴욕

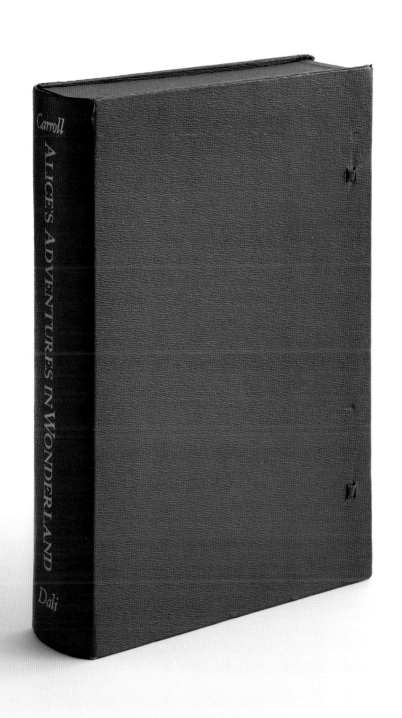

281

282

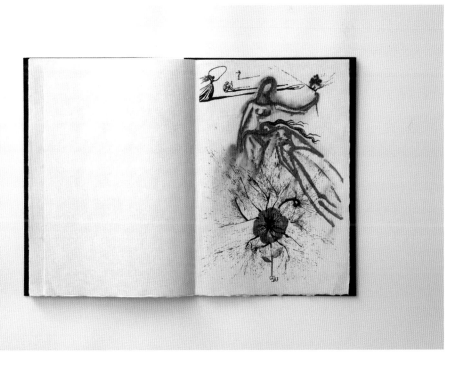

283

sudden change, but very glad to find herself still in existence; "and now for the garden!" and she ran with all speed back to the little door; but, alas! the little door was shut again and the little golden key was lying on the glass table as before, "and things are worse than ever," thought the poor child, "for I never was so small as this before, never! And I declare it's too bad, that it is!"

As she said these words her foot slipped, and in another moment, splash! she was up to her chin in salt water. Her first idea was that she had somehow fallen into the sea, "and in that case I can go back by railway," she said to herself. (Alice had been to the seaside once in her life, and had come to the general conclusion that wherever you go to on the English coast you find a number of bathing machines in the sea, some children digging in the sand with wooden spades, then a row of lodging houses, and behind them a railway station.) However, she soon made out that she was in the pool of tears which she had wept when she was nine feet high.

"I wish I hadn't cried so much!" said Alice, as she swam about, trying to find her way out. "I shall be punished for it now, I suppose, by being drowned in my own tears! That *will* be a queer thing, to be sure! However, everything is queer today."

Just then she heard something splashing about in the pool a little way off, and she swam nearer to make out what it was; at first she thought it must be a walrus or hippopotamus, but then she remembered how small she was now, and she soon made out that it was only a mouse, that had slipped in like herself.

"Would it be of any use, now," thought Alice, "to speak to this mouse? Everything is so out-of-the-way down here that I should think very likely it can talk; at any rate, there's no harm in trying." So she began: "O Mouse, do you know the way out of this pool? I am very tired of swimming about here, O Mouse!" (Alice thought this must be the right way of speaking to a mouse: she had never done such a thing before, but she remembered having seen in her brother's Latin Grammar, "A mouse—of a mouse—to a mouse—A mouse —O mouse!") The Mouse looked at her rather inquisitively, and seemed to her to wink with one of its little eyes, but it said nothing.

어린이를 위한 동화임에도 성인들이 더 즐겨 읽는 작품, 초현실주의의 상징적인 캐릭터이자 창작 예술의 영감과 원천이 된 『이상한 나라의 앨리스』를 어떻게 이해하면 좋을까? 영문학, 미술사학, 번역학, 수학, 북아트, 신화학 등 다양한 분야의 전문가들이 들려주는 『이상한 나라의 앨리스』에 대한 다채로운 이야기를 여섯 편의 글로 만나 본다.

『이상한 나라의 앨리스』는 특유의 환상적인 이미지 덕분에 인기를 얻었지만 작품의 독특한 특징인 논리와 말장난 때문에 어린이들은 온전히 이해하지 못하는 작품이기도 하다. 1강에서는 『이상한 나라의 앨리스』에 대한 여러 가지 오해를 알아보고, 이 작품을 깊이 있게 즐기기 위한 가이드를 제시한다.

2강에서는 초현실주의 화가 살바도르 달리의 작품을 중심으로 『이상한 나라의 앨리스』가 재해석되는 과정을 살펴본다. 달리가 그린 삽화에 그의 고유한 창작 방법론이 어떻게 적용되었는지, 이를 통해 루이스 캐럴의 원작이 어떻게 해석되었는지, 다른 작가들이 그린 그림과 어떻게 차별되었는지를 알아본다.

3강에서는 성경 번역 종수에 버금간다는 『이상한 나라의 앨리스』 번역의 세계를 소개한다. 영문 텍스트 일부를 살펴보면서, 원문의 향훈(香薰)을 느껴 볼 수 있는 도약대가 되도록 안내한다.

수학자였던 루이스 캐럴은 작품 곳곳에 유별난 대화를 써넣었다. 이 알쏭달쏭한 말들은 어떤 의미를 지닐까? 4강에서는 수학자의 시선에서 『이상한 나라의 앨리스』를 분석해 본다.

5강에서는 환상과 현실의 경계, 그리고 책이라는 매체에 대한 탐구를 이어 가는 북아트 작가의 강연이 펼쳐진다. 그 작품 세계의 출발점이 된 『이상한 나라의 앨리스』를 만나 보고, 북아트의 세계를 들여다본다.

토끼 굴 추락으로 시작되는 앨리스의 모험은 꿈 세계와 마찬가지로 판타지-이미지가 샘솟는 세계이다. 6강에서는 피상 세계에 갇혀 이미지 상실로 신음하는 현대인들에게 내면의 깊이를 회복하는 길이 어디인지 상상력을 휘저어 알려 주는 『이상한 나라의 앨리스』와 만나 본다.

앨리스 가이드

이강훈

어린이를 위한 동화임에도 성인들이 더 즐겨 읽는 책, 수학과 논리를 가르치는 교수가 즉흥적으로 만들어 낸 이야기, 작품의 가장 큰 특징을 정작 어린이들은 전혀 이해하지 못하는 동화, 단일 작품으로 전 세계에서 성경 다음으로 많이 번역되고 읽히며 동서양의 동화와 아동 문학 역사에서 찾아보기 힘들 정도로 독특한 작품, 어린 시절 누구나 읽어 보았고 어른이 되어서도 그 특이한 내용으로 인해 잊지 않고 기억하는 책, 이 책이 바로 옥스퍼드 대학의 수학 교수인 찰스 럿위지 도지슨이 루이스 캐럴이라는 필명으로 출판한 『이상한 나라의 앨리스』이다.

『이상한 나라의 앨리스』의 가장 큰 특징은 동화에 대한 기존의 개념을 완전히 바꾸어 놓았다는 점이다. 사실 어린이를 위한 책은 15세기부터 있었다. 그것들은 예절이나 설교 내용, 철자법 등을 가르치거나 교훈을 주기 위한 것으로서 어린이들의 욕구나 재미와는 관계가 없었다. 아동 문학은 19세기 빅토리아 시대에 들어 활발히 쓰이고 읽혔는데 산업화, 중산층의 증가 등 경제적 이유도 있었지만 무엇보다 어린이를 순수성의 상징으로 보고 여성, 가정, 모성애 등 그간 소외되었던 계층에 관심을 보인 낭만주의의 발달이 큰 역할을 했다. 낭만주의의 이국적 취미와 특이성에 대한 관심은 자연스럽게 어린이의 순수한 호기심, 무한한 상상력으로 이어졌고, 민담이나 전설과 결합하면서 환상성이라는 아동 문학의 특성이 만들어지게 된다. 캐럴 역시 당시의 낭만주의에 영향을 받았고 어린이의 순수성, 모성애 등을 찬양하고 있다.

그러나 『이상한 나라의 앨리스』의 가장 큰 특징은 낭만주의적 요소가 아니라 기존의 교훈적 이야기에서 벗어나 어린이의 즐거움과 재미를 위한 이야기, 어린이의 시각과 의식을 작품에 직접 반영한 이야기라는 데 있다. 게다가 여자 어린이를 주인공으로 설정했고 이해하기 어려운 상황에 대처하고 극복해 나가는 과정을 묘사했다는 점에서 남자 어린이가 중심이 되고 여자 어린이는 순종적이고 수동적으로 묘사했던 기존의 동화와는 전혀 다른 측면을 보여 준다. 결국 캐럴의 『이상한 나라의 앨리스』는 교훈주의라는 동화의 전통에서 벗어나 어린이의 즐거움 자체를 위한 최초의 동화라는 점에서 가장 독특하다. 비록 어린이에 대한 낭만주의적 시각에 영향을 받았지만 성인의 시각에서 어린이의 순수성을 동경하던 여타의 작가들과는 다르게 어린이의 의식과 시각으로 세상을 보았고, 어린이를 둘러싼 성인 사회가 아니라 어린이 그 자체를 묘사했다는 점에서 가치를 인정받고 있다.

캐럴은 옥스퍼드 대학의 수학 교수로서 그가 소속된 단과 대학의 학장이던 헨리 리들의 아이들과 매우 친하게 지냈다. 기록에 의하면 1862년 7월 4일에 세 명의 리들 자매와

보트 여행을 하면서 아이들에게 기존의 동요나 동시를 즉석에서 패러디하고 이야기를 지어내어 들려주게 되었는데, 이후 그때의 이야기들을 편집하고 새로운 내용을 덧붙여 책으로 출판한 것이 바로 『이상한 나라의 앨리스』였다. 즉석에서 만든 이야기들이었기 때문에 『이상한 나라의 앨리스』에는 일정한 줄거리나 플롯 없이 서로 무관한 에피소드들이 무작위로 이어진다.

성인들이 『이상한 나라의 앨리스』를 즐기는 주된 이유의 하나는 특이한 형식 논리와 말장난, 난센스 때문인데 이는 캐럴의 개인적인 취향과 관련이 있다. 그는 평소 독특한 형식 논리에 관심이 많았으며 특이한 과학 장치, 말장난 등을 즐겼다. 이를 작품의 에피소드로 구현했는데, 중요한 점은 이것이 바로 캐럴이 어린이를 즐겁게 해주는 방식이자 어린이를 이해한 방식, 사랑한 방식이라는 것이다. 괴상한 논리나 난센스에 가까운 말장난에 놀라는 어린이, 상대의 말이 이해가 안 되어 당혹스러워하는 어린이가 바로 캐럴이 좋아했던 어린이의 모습이었다.

『이상한 나라의 앨리스』를 비교적 깊이 있게, 비판적으로 읽는 독자들 중에 캐럴을 당시 빅토리아 시대의 사회와 풍습을 비판하고 풍자한 작가로 해석하는 경우가 종종 있다. 작품의 몇몇 요소를 그렇게 해석할 수도 있겠으나 캐럴 자신은 매우 보수적인 사람이었고 『이상한 나라의 앨리스』를 통해 사회를 풍자하려는 의도도 없었다. 그는 전형적인 빅토리아 시대의 인물로서 도덕심 충만한 성직자, 이성적인 수학자이며 형식을 중시하는 사람이었다. 사실 당시 중산층 사이에서 보수주의와 계급 의식은 일반적인 현상이었고 학장이던 리들도 마찬가지였다. 리들 부부는 항상 자신의 아이들이 왕족과 결혼하기를 기대했고 비록 같은 대학의 교수이지만 캐럴을 자신들보다 낮은 계층으로 생각했다. 따라서 캐럴이 딸들과 친하게 지내는 것을 거부하지는 않았지만 그 이상의 관계는 전혀 고려하지 않았다.

캐럴이 평소에 워낙 여자 어린이들을 좋아했고 평소 여자아이들의 나체를 사진으로 남기려 했기 때문에 비평가들 중에는 캐럴이 리들 가문과 결별하게 된 이유, 따라서 『이상한 나라의 앨리스』의 주인공 앨리스 리들과 헤어지게 된 것도 그가 앨리스에게 청혼을 했기 때문이 아닌가 추측하는 경우가 있다. 캐럴은 평생 거의 하루도 거르지 않고 일기를 썼는데 리들 가문과 갑자기 결별하게 된 이유를 알 수 있을 만한 시기의 일기(1863년 6월 26, 27, 28, 29일의 일기)가 그의 조카에 의해 의도적으로 폐기되었고, 당시 교내에 31세였던 캐럴이 11세였던 앨리스에게 청혼을 했으리라는 소문이 돌았던 적도 있었다. 나중에 밝혀진 바로는, 앨리스가 나이가 들면서 캐럴이 앨리스를 지나치게

293

가까이하는 것(무릎에 앉히기도 했다)을 걱정한 리들 부인이 그 이야기를 꺼냈고 캐럴이 실망해서 방문을 끊었다고 한다. 이와 함께 캐럴이 일종의 소아 성애자가 아닌가 하는 의심이 당시에도 존재했지만 대부분의 비평가들은 이를 부정하고 있는 상황이다.

『이상한 나라의 앨리스』를 읽다 보면 무례하고 적대적이기까지 한 인물들에 비해 주인공 앨리스가 매우 예의 바르고 착하다는 것을 알 수 있다. 실제로 앨리스는 당시 중산층 가정의 예의범절과 도덕, 조심스러움(병 속의 음료가 독약이 아닌지 조심스럽게 읽어 본다)을 모두 갖추고 있다. 그러나 동시에 하층 계급에 대한 편견(아는 것이 없는 메이블이라는 소녀를 무시하고, 자신을 하녀로 착각하는 하얀 토끼에게 당혹감을 느끼고, 학교에서 세탁 과목을 배웠느냐는 가짜 거북의 말에 화를 낸다. 앨리스는 불어나 음악을 배우는 좋은 학교에 다녔기 때문이다)과 계급 의식도 보여 준다. 전형적인 중산층의 시각과 의식을 대표하고 있는 것이다. 따라서 앨리스가 각 에피소드에서 겪게 되는 갈등은 당시 중산층의 시각, 의식, 언어, 행동 방식과 이를 무시하는 인물들(주로 유아적이고 이기적인 미숙한 의식을 대표함) 사이의 갈등으로 나타나며, 그 갈등이 인물들이 주장하는 엉터리 논리와 말장난, 난센스로 구현되고 있는 것이다. 앨리스는 인간과 동물의 위상이 뒤바뀌고 언어와 논리가 불안정하며 신체가 제멋대로 변하면서 자신의 주체성을 알기 어려워진 <이상한 나라>를 자신의 안정된 세계관, 즉 빅토리아 시대 중산층의 이성과 질서, 예의와 조화를 통해 바로잡으려 한다. 그러나 앨리스의 이러한 노력은 사회적 문맥을 벗어난 언어와 논리로 무장한 인물들에 의해 계속 좌절되고 만다. 게다가 이들의 모순을 지적하려 하면 딴청을 피우거나 무시하며, 이어서 갈등이 해결되지 않은 채 다른 에피소드로 이어진다. 최근에 흔히 <무슨 무슨 나라의 아무개> 같은 제목의 책이 많이 등장하는 것도 평소 자신이 알고 있던 상식이나 지식을 벗어나는 사실이나 지식에 당혹감을 느끼는 독자를 상정한 경우인 듯하다. 독자들은 그런 책에서 새로운 지식을 얻겠지만 유감스럽게도 앨리스는 갈등을 해결하지도, 빅토리아 시대 중산층의 질서를 회복하지도 못한다.

캐럴이 상정했던 가장 귀여운 어린이의 모습, 즉 친숙했던 상황이 갑자기 뒤집히고 무질서해지면서 이해할 수 없는 상황에 처했을 때 즐거움과 당황스러움을 동시에 느끼는 어린이의 모습은 『이상한 나라의 앨리스』에서 등장인물들의 극단적인 말장난과 난센스, 괴상한 논리에 의해 촉발된다. 예를 들어, 라틴어latin를 <웃기laughing>, 그리스어greek를 <슬프기grief>로 바꾼 것은 말장난이다. 서로 유사성이 발견되기 때문이다. 그러나 앨리스를 당혹스럽게 하는 것은 <나는 내가 먹는 것을 본다>와 <나는 내가 보는 것을

먹는다>가 동일한 의미일 수 있다는 모자 장수의 말, 즉 문장의 형식만 같으면 의미는 화자가
마음대로 정할 수 있다는 형식 논리, <보시다시피you see>에 대해 <난 안 보는데I don't
see>라는 식으로 문자 그대로의 의미만 존재하는 난센스에 가까운 대화, 패러디를 넘어서
전혀 의미가 없는 시로 변한 난센스 시 등이다.
난센스는 언어를 소재로 한 일종의 놀이로서 형식적 질서와 의미 부재를 특징으로
한다. 즉 문장 구조상으로는 논리적이지만(따라서 표면적으로는 의미가 있어 보이지만)
실제로는 어떤 의미도 지닐 수 없는 경우를 의미한다. 평소 논리적 말장난을 즐겼던
캐럴은 논리적 형식을 중심으로 한 극단적인 말장난을 통해 일상적인 언어의 사회적
문맥을 벗어나는 대화를 만들어 냈던 것이다. 빅토리아 시대의 중산층을 대표하는
앨리스가 이렇듯 일반적인 문맥을 벗어난, 언어 자체의 구조와 논리만을 내세우는
인물들과 제대로 된 의사소통을 이루지 못하는 것은 당연하다. 앨리스는 일상적인 시각과
언어를 통해 상황을 이해하려 하지만 인물들은 제각각 자신만의 논리를 주장하고 모순을
지적하면 단순히 회피해 버린다. 이런 의미에서 『이상한 나라의 앨리스』의 인물들은
자신만의 논리와 의식에 사로잡힌 유아기 어린아이의 의식을 대표하며, 앨리스는
사회성이 형성되어 가는 도중에 예기치 못하게 과거의 유아기적 단계를 다시 경험하면서
일종의 <친숙하면서도 낯선> 상태를 반복한다고 볼 수도 있다.
『이상한 나라의 앨리스』는 특유의 환상적인 이미지로 인해 큰 인기를 얻었지만 작품의
독특한 특징인 말장난과 논리적 문제 등은 사실상 어린이 독자의 이해를 벗어난다.
오히려 이런 면에 관심을 두는 것은 성인들이며 일부 언어학자, 문학 이론가, 번역가
등이 계속해서 『이상한 나라의 앨리스』의 문학적 특성을 연구하고 있다. 국내에서 마틴
가드너Martin Gardner의 『주석 달린 앨리스The Annotated Alice』가 출판되면서 『이상한
나라의 앨리스』에 대한 이해가 넓어진 측면도 있지만 아직 작품 속의 언어와 논리를
깊이 이해하기에는 부족한 듯하다. 따라서 언어와 논리, 어린이의 의식 등을 염두에 두고
읽는다면 조금 더 『이상한 나라의 앨리스』를 깊이 있게 즐길 수 있을 것이다.

이강훈은 「제임스 조이스의 스타일 연구: 바흐친의 미학 이론을 중심으로」로 박사 학위를 받은 후 현재 서원대학교
영어교육과 교수로 재직 중이다. 지은 책으로 『이상한 나라의 앨리스 연구』와 『조이스와 바흐친: 스타일과 미학의
만남』 옮긴 책으로 제임스 조이스의 『더블린 사람들』 커트 보네거트의 『타이탄의 미녀』 등이 있다.

살바도르 달리와 앨리스

이진숙

루이스 캐럴의 『이상한 나라의 앨리스』는 새로운 미지의 것을 창조하고자 하는 예술가들에게 영감을 주는 책이 되었다. 파블로 피카소Pablo Picasso와 마르셀 뒤샹Marcel Duchamp은 기존 예술계의 관행을 넘어서고자 할 때 앨리스에 대해 기꺼이 언급했다. 21세기를 대표하는 미국 작가 키키 스미스Kiki Smith는 최근에 앨리스를 재해석한 작품들을 선보이고 있다. 미술계에서 캐럴의 이 책을 본격적으로 받아들인 예술가들은 초현실주의자들이다. 앨리스가 토끼 굴에 빠지면서 펼쳐지는 놀라운 모험담은 이성과 논리가 지배하는 일상적인 삶 저 너머의 비논리적인 꿈, 무의식, 환상에 천착해 온 초현실주의 예술가들에게는 매우 매혹적인 이야기였다. 앞서 언급한 피카소도 초현실주의 시기에 앨리스를 언급했고, 뉴욕 다다의 대부인 뒤샹도 초현실주의의 영향을 받은 예술가이다. 그리고 막스 에른스트, 르네 마그리트René Magritte, 도로테아 태닝Dorothea Tanning, 발튀스Balthus 같은 초현실주의 미술가들은 『이상한 나라의 앨리스』와 직간접적으로 연결된 작품들을 그렸다. 초현실주의를 주창했던 앙드레 브르통André Breton 역시 루이스 캐럴을 초현실주의자라고 명명하며 오마주했다. 브르통은 1924년 1차 초현실주의 선언에서 <경이로운 것은 언제나 아름답고, 경이로운 것은 모두 아름다우며, 사실 경이로운 것만이 아름답다>라며 경이로움에 대한 예찬이 초현실주의의 가장 중요한 원리라고 말했다. 앨리스의 모험이 펼쳐지는 원더랜드야말로 경이로움으로 가득 찬 세계이다. 그리고 이 위대한 텍스트의 삽화를 그리는 영광은 살바도르 달리에게 돌아갔다.

살바도르 달리는 1904년 스페인의 피게레스에서 태어났다. 달리가 태어나기 전, 한 살 무렵에 죽은 형이 있었다. 아이를 잃은 부모는 둘째 아들이 첫째 아들의 분신이라고 여기며 그 이름 살바도르를 그대로 둘째에게 붙였다. 그래서 달리는 늘 보이지 않는 형의 그림자가 있는 것 같다고 느끼면서 자랐다. 보이지 않는 존재와 세계에 대한 천착은 어쩌면 달리의 운명에 처음부터 프로그래밍되어 있었던 것이다. 반항적인 어린 시절을 보낸 달리는 미술에 뛰어난 재능을 보였다. 그는 마드리드의 산페르난도 왕립 미술 아카데미에서 공부하며 마드리드 아방가르드 그룹을 통하여 현대 미술을 접하게 되었다. 이 무렵 그는 시인 페데리코 가르시아 로르카Federico Garcia Lorca와 영화 감독 루이스 부뉴엘Louis Bunuel 등 나중에 스페인을 대표하는 예술가들과 친구가 되었다. 젊은 시절 달리는 프로이트의 이론을 접하면서 무의식의 영역에 관심을 갖게 되었고, 초현실주의적인 작품을 제작하기 시작했다. 그리하여 앙드레 브르통이 주도하고 있던

초현실주의 그룹에 가담해서 작업을 했다. 특히 친구인 루이스 부뉴엘과 함께 두 사람의
꿈을 주제로 만든 무성 영화 「안달루시아의 개Un Chien Andalou」는 국제적인 논란과 함께
예술계에 이름을 알리는 데 큰 역할을 했다. 달리는 누구보다 재능이 있었고, 야망으로
가득 찬 젊은 화가였다. 그러나 1936년 무렵 앙드레 브르통과의 갈등이 본격화되면서
유럽의 초현실주의자들과 멀어졌다. 유럽이 2차 세계 대전의 소용돌이에 빠진 1940년에
달리는 미국으로 갔다. 미국에서 그는 1941년 뉴욕 현대 미술관에서 대대적인 회고전을
여는 등 대중들의 사랑과 지지를 받게 된다. 영화, 연극, 패션, 광고 등 다양한 분야를
경험하면서 그는 더욱 풍부한 작품 세계를 구현하며 국제적인 명성을 쌓아 갔다.
그리고 1968년에 출판사 랜덤하우스 측의 의뢰로 다음 해인 1969년에 매우 흥미로운
이미지들을 완성하면서 달리의 『이상한 나라의 앨리스』가 완성되었다.

많은 화가들이 초현실주의적인 그리기 방식을 창안해 내는 데 골몰했다. 예컨대 앙드레
마송André Masson 같은 작가는 〈의식적인 사고를 피하고 생각이 흘러가는 대로 표현하는
기법〉인 자동기술법automatism을 주요하게 사용했다. 르네 마그리트는 형이상학파
화가 조르조 데 키리코Giorgio de Chirico의 영향으로 데페이즈망dépaysement 기법을
선호했다. 데페이즈망 기법은 사물들의 본래 용도, 기능, 의미를 현실적 문맥에서
이탈시켜 그것이 놓일 수 없는 낯선 장소에서 조합하여 초현실적인 환상을 창조해
내는 것을 의미한다. 달리는 고유한 창작 방법으로 〈편집증적 비평 방법The Paranoiac
Critical Method〉을 내세운다. 이 방법에 관해 그는 〈해석 망상〉에 기반을 둔 〈비이성적인
지식의 한 형태〉라고 설명한다. 즉 첫눈에는 망상으로 보일지라도 자기 식으로 끝까지
논증해서, 보이는 세상 이면의 것을 드러내겠다는 창작 방법이다. 달리는 프로이트의 정신
분석학뿐만 아니라 물리학과 수학에 대해서도 큰 관심을 가지고 있었다. 『이상한 나라의
앨리스』삽화를 그리면서 그는 자신의 창작 과정을 되짚어 보며 루이스 캐럴과의 만남의
의미를 〈편집증적 비평 방법〉을 통해 증명해 낸다.
『이상한 나라의 앨리스』삽화에는 원작에 맞춰 그려진 존재뿐 아니라 달리의 시그니처가
된 여러 형상들이 등장한다. 달리가 가장 고심한 것은 바로 주인공 앨리스의 모습이다. 책
속의 앨리스는 어린 소녀이지만, 달리의 삽화 속에서는 허리가 잘록한 흰 드레스를 입은
줄넘기하는 성인으로 등장한다. 이 형상은 1934년 달리가 그렸던 「형태학적 반향」이라는
그림에 처음 등장한다. 이 그림에서 양손을 들고 줄넘기하는 여인의 모습은 여인의
위쪽에 있는 종의 모양과 닮았다. 이것은 여동생 마리아의 학교에 있는 종에서 영감을

받은 것이라고 한다. 또 그림 중앙의 기암괴석도 유사한 모습을 하고 있다. 줄넘기하는 여인, 종, 기암괴석 세 가지는 상식적인 논리에서는 별 상관이 없어 보이지만, 형태론적인 닮음을 통해 무언가 알려지지 않은 신비를 암시하고 있는 듯하다. 또 줄넘기하는 여인은 검은 그림자가 딸린 형상으로 등장하는데, 그 모습은 데 키리코의 「거리의 우울과 신비The Mystery and Melancholy of a Street」에 등장하는 굴렁쇠를 굴리는 소녀에게서 영감을 받은 것이다. 소녀는 납작한 그림자를 달고 영원한 시간의 수레바퀴를 굴리면서 그림을 가로지른다. 데 키리코의 형이상학적 그림들은 초현실주의자들에게 많은 영감을 주었다. 1936년에 그린 「줄넘기하는 소녀가 있는 풍경Landscape with Girl Skipping Rope」에서는 줄넘기하는 여인이 아예 제목으로 등장하기도 한다. 달리의 평전을 쓴 이안 깁슨Ian Gibson은 이 소녀가 카롤리나 바르나다스 페레Carolina Barnadas Ferrés라고 지적하는데, 카롤리나는 1914년 서른넷의 나이에 뇌수막염으로 사망한 달리 할머니의 조카딸이었다. 아버지가 저녁 식사 중에 그녀의 죽음을 알리는 전보를 읽어 주었고, 할머니는 매우 고통스러워했지만, 당시 열 살이었던 달리는 무심히 밥을 먹었다고 한다. 그리고 어른이 되어서 달리는 이 죽음을 다시 떠올렸다고 한다. 따라서 이 여인은 이미 현실 세계 밖에 존재하는 형상을 의미하게 된다. 그러나 1977년에 제작된 두 작품은 줄넘기하는 소녀가 카롤리나가 아니라 다른 여인일 수도 있다는 것을 보여 준다. 이때 카롤리나에 대한 기억 위로 새로운 기억이 더해지고, 기억은 편집증적 비평 방법에 의해 재해석되며, 이면에 가려진 다른 의미를 발굴해 나가는 과정이 된다. 『이상한 나라의 앨리스』가 완성되고 나서도 달리의 창작은 끝난 것이 아니었다. 달리는 그 일의 의미를 되새기며 거기에 새로운 의미를 부여하는 작업을 했다.

1977년 「이상한 나라의 앨리스」라는 제목으로 제작된 석판화와 청동 조각에 줄넘기하는 여인이 다시 등장한다. 1969년의 삽화와 결정적으로 다른 점은 이 여인 앞에 Y 자 형태의 나무 받침대가 등장한다는 점과 얼굴이 둥근 꽃다발 형태로 표현되었다는 점이다. Y 자 형태의 나무 받침대는 「성욕의 스펙트럼The Spectrum of Sexual Desire」(1934), 「잠Sleep」(1937) 등 달리의 여러 그림에서 볼 수 있다. 이는 달리가 자신의 방법론인 〈편집증적 비평 방법〉을 설명하기 위한 다이어그램에도 사용한 것으로, 가시적 형태(논리)를 유지하기 위한 위태로운 지지대를 의미한다. 둥근 꽃다발 형태의 얼굴을 한 여인은 1936년 런던에서 있었던 국제 초현실주의 전시회의 오프닝에서 벌어진 일련의 획기적인 퍼포먼스를 떠올리게 한다. 히틀러의 집권으로 유럽 전체가 동요하는 가운데 열린 이 전시는 2차 세계 대전 직전에 벌어진 가장 중요한 예술가들의 행사 중 하나였다. 사실 1936년에 달리는 앙드레 브르통과 심각한 갈등 상황에 있었다. 앙드레 브르통은 달리의 작품이 〈1936년 이후 초현실주의와 별 관련이 없다〉라며 그룹에서 그를 추방하려고 했다. 1933년 히틀러가 정권을 잡은 후에 달리가 정치적으로 모호한 태도를 취했기 때문이다. 이에 달리는 〈나는 초현실주의 자체이니 아무도 나를 쫓아내지 못한다〉라고 응수했다. 그리고 전시 오프닝 당일 잠수부 복장을 한 기상천외한 모습으로 등장했다. 자신은 무의식의 바다를 탐구하는 잠수부라는 의미였다. 자신이야말로 제대로 된 초현실주의자라는 것을 확증하는 퍼포먼스를 한 것이다.

이날 낮에 또 하나의 퍼포먼스가 벌어졌다. 트래펄가 광장에 젊은 여성 초현실주의 예술가 실라 레제Sheila Legge가 얼굴을 꽃으로 뒤덮은 채로 나타나서 주목을 끌었다. 그녀는 달리의 작품에서 영감을 얻어 흰색 드레스를 입었다고 한다. 이 〈경이로운〉 둥근 꽃다발 형태의 얼굴을 한 여인은 모두에게 영감을 주었다. 르네 마그리트의 그림 「대전The Great War」(1964)에서도 그 모습을 볼 수 있다. 이렇게 달리는 앨리스의 형상에 개인적인 사건뿐 아니라 초현실주의의 가장 중요한 역사를 연상시키는 요소들을 배치했다. 이런 방법을 통해 살바도르 달리는 앨리스를 무의식과 환상의 세계를 탐험하는 위대한 초현실주의 계보의 가장 중요한 캐릭터로 만들었다.

실라 레제, 「트래펄가 광장의 꽃다발 형태의 얼굴을 한 여인」(1936)

이진숙은 서울대학교 독어독문학과를 졸업하고 동 대학원에서 석사 학위를 받은 뒤 러시아 국립 인문 대학교에서 미술사 석사 학위를 받았다. 미술과 관련된 대중 강의와 집필에 전념하고 있다. 지은 책으로 『위대한 고독의 순간들』 『인간다움의 순간들』 『롤리타는 없다』 『시대를 훔친 미술』 등이 있다.

앨리스 번역이란 미친 과제 :
단순한 모험물인가, 난센스 판타지인가

Alice soon came to the conclusion that it was a very difficult game indeed.
앨리스는 곧 다음과 같은 생각에 이르렀다.
〈이거 정말 쉽지 않겠는데!〉

—『이상한 나라의 앨리스』 중에서

루이스 캐럴의 『이상한 나라의 앨리스』는 빅토리아 시대 아동 문학의 고전이다. 앨리스란 이름의 일곱 살 소녀가 토끼 굴 속으로 굴러떨어지며 이야기가 시작된다. 그렇게 도착한 〈원더랜드wonderland〉라고 하는 〈놀라운 세상wonderful world〉에서 주인공 앨리스는 흥미진진한 캐릭터들과 만나 기이한 모험을 한다. 이 작품은 빅토리아 시대의 흔한 교훈극이 아니었고, 출간 즉시 어린이 독자들에게 열렬한 환영을 받았다. 그리고 오늘날까지도 어린이는 물론이고 성인 독자들까지 이 이야기에 열광한다.

이렇게 세계 문학의 고전으로 자리 잡은 『이상한 나라의 앨리스』는 영문학사상 두 번째로 많이 번역된 작품이다. 진지한 작품으로 존 버니언John Bunyan의 『천로역정 *The Pilgrim's Progress*』이 있고, 성서를 꼽을 수도 있겠다. 문화권과 국가를 방대하게 뛰어넘은 아동 고전으로 『이상한 나라의 앨리스』만 있는 것은 물론 아니다. 하인리히 호프만Heinrich Hoffmann의 독일어 작품 『더벅머리 페터 *Struwwel Peter*』, 앙투안 드 생텍쥐페리Antoine de Saint Exupery의 프랑스어 작품 『어린 왕자 *Le Petit Prince*』, 또 카를로 콜로디Carlo Collodi의 이탈리아어 작품 『피노키오의 모험 *Le avventure di Pinocchio*』도 다양한 언어로 두루 번역되었다.

그럼에도 빅토리아 시대의 이 난센스 판타지 문학 작품은 독특한 영예의 대상인 듯하다. 『앨리스의 놀라운 세상 모험』은 1865년 영국에서 최초 출간된 이래 전 세계적으로 단 한 번도 절판된 적이 없다. 무려 170개 이상의 언어로 꾸준히 번역되었다. 이렇게나 오래 계속해서 성공 가도를 달리는 이유는 무엇일까? 책 내용의 상당 부분이 빅토리아 시대 영국이란 시공간에 뿌리를 대고 있기 때문에, 우리 시대의 아동이라면 그 150년 전의 세계로 진입하는 데 약간의 어려움을 겪는 것이 사실이다. 그럼에도 아이슬란드의 한 연구자는 이 작품이 끝없이 사랑받는 이유로 그 복잡성complexity을 언급한다. 시대가 바뀌었음에도, 전 세계의 독자들이 바로 이 복잡성을 바탕으로 다양한 관점에서 이야기를 즐길 수 있다는 것이다. 정치적 해석이 있는가 하면 철학적 독해가 등장하고, 논리와 운율에 집착하는 사람이 있는가 하면 20세기 후반부터는 물리학, 생물학, 수학의 해석도 가세했다.

이 작품의 성공과 불후의 명성에는 또 다른 이유가 있다. 사용된 언어와 그 언어가 발휘하는 유머 효과가 바로 그것이다. 이 소설에는 말놀이, 신조어, 3단 논법, 패러디, 유명 시구, 당대의 동요가 수시로 출몰하고, 그래서 흥미롭고 재미있지만 해외의 번역자들은 이 난센스 판타지를 작업하다가 거의 고문을 당하는 지경에 이르렀다. 하지만 그럼에도 『이상한 나라의 앨리스』의 번역이 무수히 존재한다는 것은 정말이지 〈진정한 경이real wonder〉라고 할 수 있겠다.

이 글의 목표는 그 번역의 동향과 추세를 살펴보는 것이다. 이 과정에서 『앨리스의 놀라운 세상 모험』이 단순한 아동 모험물 이상의 진지한 난센스 판타지 문학으로 형질 전환*함을 함께 음미해 보면 좋을 듯하다.

먼저 유명한 캐릭터 둘을 살펴보도록 한다. 체셔 고양이와 모자 장수는 특히나 인기가 많다. 이들 캐릭터가 캐럴의 작품 전개에서 특별한 역할을 맡고 있고, 따라서 적절한 번역어 선택과 그 호명이 중요하며, 이런 이유로 과제 상황이 어렵다고 할 수 있다. 다행히도 체셔 고양이는 독일어 대응 표현이 있다. 〈호닉쿠켄페르트Honigkuchenpferd〉는 생강 쿠키로, 모양이 말처럼 생겼고, 흔히 아이들이 먹는다. 말의 얼굴이 웃고 있는 것도 금상첨화이다. 이렇게 독일어 번역본은 〈자국화domestication〉에 유리한 상황이다. 하지만 존 테니얼의 삽화를 고려하면, 마냥 그럴 수만도 없는 노릇이다. 삽화에 활짝 웃는 체셔 고양이가 나오니까.

수포로 돌아가긴 했지만, 번역에서는 이런 자국화 시도가 꽤 많다. 영국 사람들은 〈모자 제조공처럼 미친mad as a hatter〉이란 표현을 잘 안다. 이 관용어는 모자 제조업 및 수은 중독과 연계된다. 19세기의 모자 제조공들이 독성 물질인 질산 수은을 사용하다 산업 재해를 당했던 것이다. 하지만 번역이라면 상황이 달라진다. 스와힐리어판에서는 모자 장수가 페즈 모자fez hat를 쓰고 있고, 한 인도어판에서는 토피topee 모자로 바뀌었다. 심지어 앨리스가 매력적인 흑인 소녀로 나오는가 하면, 밝은 색상의 사리sari를 걸친 소녀로도 등장한다.

자국화 전략이 있다면 〈외국화foreignization〉 전략도 있다. 한국과 일본의 번역서들은 대체로 외국화 전략을 따르고 있다. 독자들이 온전히 이해하지 못할 무언가를 만들어 내는 위험을 감수하고서, 원문에 수렴하는 전략이라고 할 수 있겠다. 일본의 한 비평가는 동아시아에 〈무의미 문학nonsense literature〉의 전통이 약하거나 부재한 것을 이유로 들기도 한다.

캐럴이 시도한 동요의 패러디를 통해 이를 확인해 보자. 7장에서 모자 장수가 부르는 노래 「펄럭펄럭 작은 박쥐Twinkle, Twinkle, Little Bat」는 한국 독자들에게도 익숙한 동요가 그 출발점이다. 제인 테일러와 앤 테일러Jane and Anne Taylor가 1806년에 쓴 「별님The Star」이 원곡이고, 이는 1869년 미국에서 출간된 루이자 메이 올컷Louisa May Alcott의 『작은 아씨들Little Women』이란 작품에도 나온다. 원래 동요를 캐럴이 비틀었고, 1869년판 독일어 번역본은 〈반짝이는 별〉의 흔적을 아예 없애 버렸다. 독일어 번역가는 자국의 독자들이 능히 짐작할 수 있도록 독일의 크리스마스 캐럴 「오 탄넨바움O Tannenbaum」을 맥락에 맞게 패러디했다. 자국화 전략이다.

그런데 아프간 사람들이 사용하는 파슈토어판에서는 이 대목이 어떻게 번역되었을까?

> 펄럭펄럭, 박쥐야!
> 뭐 하는 거니?
> 세상을 덮을 듯 날개를 편 모습,
> 하늘의 제왕 매 같구나!

대체로 이런 내용의 파슈토어 시가(詩歌)가 탄생했고, 번역자는 다음과 같은 요지의 주를 달아 놨다. 〈시편을 내가 다시 썼고, 적절한 운에 유의했으며, 이외에도 영어 원문과의 일치 사안에도 신경을 썼다.〉 요컨대 그는 캐럴의 패러디를 파슈토어로 성실하게 개역했다고 할 수 있겠다. 우리가 「반짝반짝 작은 별」로 흔히 아는 「별님」이 아프가니스탄의 전통 작품이 아니기 때문에, 파슈토어 번역자는 외국화 전략을 취한 셈이다.

자, 이쯤 되면, 번역의 윤리라는 것이 부상하면서, 다음과 같은 질문을 던지지 않을 수 없다. 〈이것이 진짜 『이상한 나라의 앨리스』라고 판정하려면, 그 가운데 얼마나 많은 내용이 충족되어야 하지?〉

이 글의 부제에서 『이상한 나라의 앨리스』가 단순한 모험물인지, 아니면 난센스 판타지인지를 물었다. 둘 다이다. 그리고 바로, 이 둘을 매개하는 것이 〈번역의 사정(事情)〉이라고 할 수 있을 것이다.

* 형질 전환transformative이란 용어가 어려울 수도 있는데, 한국에서도 크게 히트한 영화 「트랜스포머」를 떠올리면 좋겠다. 자동차가 로봇이라니! 그러려면 확실히 형질 전환적 변화를 단행해야 할 터다. 그런데 놀랍게도 그 전과 후가 같다. 오비디우스의 『변신 이야기』를 떠올릴 수 있겠고, 『이상한 나라의 앨리스』 6장 「돼지와 후추」에서 바로 그 변신 모티프가 동원되었다. 작품 전반에서 앨리스가 계속 변한다는 사실도 잊지 말 것! 심리학에서는 이를 두고서 이연연상(二連聯想, bisociation, 무관해 보이는 두 요소나 개념을 연결해 생각하는 것)이라고 한다. 문학에서 접할 수 있는 거의 모든 <비유와 상징>에 바로 이 형질 전환의 논리가 자리하고 있다. 고대 그리스어 <숨볼론sumbolon>의 메커니즘이다.

정병선은 수학, 사회 물리학, 진화 생물학, 신경 문화 언어학, 인지와 계산, 정보 처리, 지능의 본질을 이리저리 궁리하고 있다. 영어 읽기를 가르친다. 『주석과 함께 읽는 이상한 나라의 앨리스』, 『영국 주간지 스터디: 테크 비즈니스 편』을 썼고, 그 외 수십 종의 도서를 한국어로 옮겼다.

자유와 엄밀

등장인물　루이스 캐럴 ¦ 영국 빅토리아 시대 옥스퍼드 대학 수학 교수

멜라니 베일리 ¦ 2000년대 옥스퍼드 대학 영문학 박사 과정생

최재경 ¦ 필자. 『이상한 나라의 앨리스』로부터 영향을 받은 중편소설 「디도의 딸」을 집필한 바 있음

LECTURE 4

캐럴　1862년 7월 어느 날, 나는 크라이스트처치의 학장 헨리 리들의 세 딸을 데리고 강에서 뱃놀이를 했어요. 나는 노를 저으며 세 자매에게 앨리스라는 소녀의 모험담을 즉석에서 지어 들려주었습니다. 특히 둘째인 앨리스 리들은 그 이야기를 매우 좋아해서 종이에 적어 달라고 요청했어요. 2년 후 나는 그 이야기를 손으로 쓰고 삽화를 직접 그려 『지하 세계의 앨리스』라는 제목을 달아 앨리스에게 주었습니다. 그리고 1년 후 자필 원고에 내용을 덧붙여 루이스 캐럴이라는 필명으로 『이상한 나라의 앨리스』를 출판했습니다. 체셔 고양이, 공작부인, 이상한 다과회 이야기를 포함시켜 대폭 확대한 것이죠. 추가한 이야기는 알쏭달쏭한 면이 많아 독자로 하여금 상상의 날개를 펴게 한다는 평이 있었죠. 이 부분에서 〈저자는 수학자로서 재능을 맘껏 발휘했다〉라는 말을 들었습니다.

베일리　책에 담긴 수학적 내용은 근래에 와서야 깊이 있게 논의가 이루어졌습니다. 저도 2009년에 발표한 글에서 캐럴 교수님의 책에 관해 제 의견을 펼쳤습니다. 저는 캐럴 교수님이 책을 쓰던 19세기 중반에 일어난 수학의 격동적인 변화에 주목했습니다. 당시 비유클리드 기하학이 등장했고, 대수학 등 각 분야의 추상화 작업이 이루어졌으며, 점점 많은 수학자들이 복소수를 받아들이고 있었죠.

캐럴　맞아요. 이러한 근본적인 변화는 실망스러웠어요. 옥스퍼드에서 나는 강의를 전담하는 교수였어요. 학생들은 중·고등학교에서 유클리드Euclid 원본으로 기하학을 배웠는데, 나는 원본처럼 공리에 기반하여 논리를 전개하는 방식의 전통적인 수학이 최고라고 생각했습니다.

베일리　그 점에서 저는 교수님을 보수적인 수학자라고 봅니다. 또한 교수님이 『이상한 나라의 앨리스』를 출판하며 추가한 부분이 수학의 격동적인 변화에 대한 일종의 풍자라고 해석합니다.

캐럴　베일리 양은 역시 빅토리아 시대의 학자와는 다르군요. 나는 동시대 수학자들이

유클리드처럼 논리적으로 엄정하지 않고 그들의 글과 논문에서 구어체 티가 난다고 생각했어요. 더 큰 불만은 그들의 새 수학이 유클리드 원본의 근간이 되는 물리적 실재와 멀어져 간다는 점이었어요. 예를 들어 자연수와 유리수처럼 물리적 양을 잘 표현하지도 못하는 엉터리 같은 허수를 학자들이 거리낌 없이 쓰기 시작하더군요. 나는 이러한 터무니없는 수학을 학부생들에게 가르칠 수 없다고 봤죠. 그래서 내가 이해한 수학으로 내 이야기를 만들어야겠다고 생각했어요. 새 수학에서 엉성하게 보이는 논리를 끄집어내서, 유클리드의 증명에서 자주 쓰이는 귀류법으로 우스꽝스런 결론을 이끌어 내며 비판 대상으로 만들고 싶었어요.

베일리 그렇게 탄생한 작품이 『이상한 나라의 앨리스』라고 저는 생각합니다. 한 걸음 더 나아가 〈이상한 나라의 광기는 기호 대수학symbolic algebra이라는 새 수학의 위험성에 대한 캐럴 교수님의 견해를 반영한다〉라고 제 논문에 썼습니다. 토끼 굴 속으로 떨어진 후 병에 들어 있는 것을 먹고 8센티미터로 작아진 앨리스에게 물담배를 피우는 애벌레는 버섯을 먹으면 알맞은 크기로 조절할 수 있다고 귀띔해 줬잖습니까?. 물담뱃대와 버섯을 두고 마약으로 해석하는 이들도 있지만 저는 이를 언어학적으로 해석합니다. 물담뱃대hookah라는 단어는 대수학algebra처럼 아랍어에서 왔습니다. 기호 대수학의 기초를 다진 영국 수학자 드모르간Augustus De Morgan은 1849년에 출판한 책 『삼각 함수론과 쌍대수Trigonometry and Double Algebra』에서 algebra의 아랍어 어원 al jebr e al mokabala를 소개했습니다. 이 말은 복원과 축소, 환원을 뜻합니다.
앨리스가 물약을 먹고 턱과 발이 닿을 정도로 〈축소〉되고, 버섯을 먹고 원래 크기로 〈복원〉되는 이야기는 캐럴 교수님이 al jebr e al mokabala를 토대로 지어냈다고 볼 수 있습니다. 저는 이런 황당한 축소와 복원을 나열하며 교수님께서 기호 대수학의 터무니없음을 보이려 했다고 제 논문에서 지적했습니다. 애벌레가 앉아 있는 버섯은 우후죽순처럼 자라므로 캐럴 교수님은 불쑥 나타나서 수학자들을 현혹시키는 추상적인 대수학을 버섯에 비유했다는 해석도 했습니다. 그리고 왕과 여왕 앞에 머리만 나타난 체셔 고양이는 대수학이 복잡한 논리를 걸러 내고 남겨 놓은 추상성을 상징한다고 보았습니다. 이상한 사태가 벌어지는 데 화가 난 앨리스는 공작부인의 집을 떠나 체셔 고양이를 만난 뒤 아주 이상한 다과회가 벌어지는 3월 토끼의 집에 갑니다. 그런데 그 집 나무 아래 식탁에서 모자 장수, 3월 토끼와 겨울잠쥐가 벌이는 이상한 말과 행동은 해밀턴William Hamilton의 사원수(四元數)를 통해 설명할 수 있다고 저는 해석했습니다. 두 개의 성분을 가진 복소수가 평면에서 회전을 나타내므로, 3차원 공간의 회전을 나타내기 위해 해밀턴은 세 개의 성분을 가진 수로 오랫동안 노력했으나 허사였죠. 세 성분으로는 여전히 평면의 회전밖에 표현할 수 없었습니다. 그러던 어느 날 아내와 함께 운하 길을 산책하다가 해밀턴은 〈유레카!〉를 외쳤죠. 성분 하나를 추가하여 네 개의 성분 a, b, c, d를 갖는 사원수 q=a+bi+cj+dk 는 공간의 회전을 멋지게 표현하는 것이 아닙니까? 여기서 캐럴 교수님은 네 번째 성분을 시간으로 이해했다고 저는 해석했습니다.

사원수의 유별난 성질은 교환 법칙이 성립하지 않는다는 것입니다. 일반적으로 사원수의 곱하기에서 q1×q2 는 q2×q1 과 같지 않지요. 예를 들어 i×j=-j×i=k 이죠. 자연수의 교환 법칙을 교리로 신봉하는 캐럴 교수님은 이런 성질에 진저리가 났는지 『이상한 나라의 앨리스』 곳곳에 유별난 대화를 써넣으셨죠.

「〈고양이가 박쥐를 잡아먹나?〉 아니면 〈박쥐가 고양이를 잡아먹나?〉」
「알다시피 개는 화가 나면 으르렁대고 기분이 좋으면 꼬리를 흔들지. 그런데 나(체셔 고양이)는 기분이 좋으면 으르렁대고 화가 나면 꼬리를 흔들어.」
「어머! 웃음 없는 고양이는 많이 봤는데 고양이 없는 웃음이라니!」
「그럼 생각한 걸 있는 그대로 말해야 해.」
「그렇게 하는데요. 적어도 말하는 그대로 생각해요…… 그게 그거죠.」
「〈나는 내가 먹는 것을 본다〉와 〈나는 내가 본 것을 먹는다〉가 같은 뜻이라는 거잖아!」
「네 말대로라면 〈나는 내가 가진 것이 마음에 든다〉와 〈나는 내가 마음에 드는 것을 가진다〉가 같은 뜻이라는 거네!」
「네 말대로라면 〈나는 잘 때 숨을 쉰다〉와 〈나는 숨을 쉴 때 잔다〉가 같은 뜻이로군!」

저는 다과회로 번역된 모자 장수의 티파티는 〈t-party〉로 볼 수도 있다고 해석합니다. t는 사원수의 time을 뜻한다는 말입니다. 앨리스가 오기 전에 다과회를 시작한 세 명(모자 장수, 3월 토끼, 겨울잠쥐)이 사원수의 세 성분을 대표한다고 보면 마지막 성분인 시간이 안 보입니다. 사실은 지난 3월에 모자 장수와 싸운 시간은 화가 나서 모자 장수가 시키는 일은 아무것도 하지 않습니다. 그래서 시계는 항상 6시에 머물러 있습니다. 이 때문에 해밀턴이 사원수를 발견하기 이전에 세 성분이 평면의 회전밖에 표현할 수 없었던 것처럼, 식탁 주위를 뱅뱅 돌며 자리만 계속 옮겨 앉고 있다고 말합니다. 이 장이 끝날 무렵 모자 장수와 3월 토끼는 겨울잠쥐를 찻주전자에 쑤셔 넣으려 하죠. 사원수의 세 성분으로는 공간에서 회전만 되므로 이런 상황에서 벗어나기 위해 겨울잠쥐를 처분해야 합니다. 그러면 모자 장수와 3월 토끼는 복소수로 자유롭게 존재하여 다과회를 떠날 수 있기 때문이죠. 마침내 시간의 부재로 인과 관계가 깨진 3월 토끼의 집에서는 모자 장수의 최대 난제인 수수께끼(갈까마귀와 책상이 비슷한 이유)가 자생하고야 말았습니다. 이쯤에서 새 수학에 대한 제 나름의 해석을 끝내고 싶습니다.

최재경　이러한 수학적인 풍자를 뺀 『지하 세계의 앨리스』는 매력적인 이야기이긴 하지만 특유의 난센스가 결핍된 동화책일 뿐입니다. 하지만 수학적 풍자가 더해진 뒤 『이상한 나라의 앨리스』는 타의 추종을 불허하는 고전이 되었습니다. 베일리 박사가 자신의 주장을 처음 발표했을 때 마틴 가드너를 포함한 루이스 캐럴 전문가들carrollians은 전적으로 반대했습니다. 캐럴 교수님이 그의 옥스퍼드 동료들을, 또 19세기의 새 수학을 풍자했다는 주장에 동의하지 않았고, 사영 기하학, 기호 대수학, 사원수를 이용한 해석에 근거가 없다고 말했습니다. 그러나 영미권 언론들이 베일리 박사의 주장을 적극적으로 소개했습니다. 그뿐만 아니라 대중이 그에 호응하여 이런 기사들을 자기 홈페이지에 옮겨 실었죠. 전문가들은 오랫동안 쌓아 올린 기존의 지식과 관점에서 벗어나기 어려웠을 것입니다. 그러나 대중은 『이상한 나라의 앨리스』에 관한 신선한 해석이 나타난 것을 적극 환영하고 책의 세계가 더 넓어졌음에 즐거워했지요.

지금까지 베일리 박사의 의견과 대중의 반응을 소개했는데 이제부터는 제 견해를 이야기해 보고 싶습니다. 베일리 박사는 캐럴 교수님이 유클리드 기하학을 좋아하는 수학자라고 말했는데, 그에게 다음과 같은 반전이 일어날 수도 있었다고 저는 생각합니다. 드모르간이 산술을 논리화, 상징화하여 기호 대수학을 탄생시킨 것같이, 독일의 수학자 힐버트David Hilbert는 자연 현상을 가장 논리적으로 기술하는 유클리드 기하학을 철저하게 공리화했습니다. 유클리드는 그의 기하학을 점, 선, 면 등의 용어와 누가 봐도 자명한 평행선 공리를 포함한 다섯 공리를 기초로 하여 쌓아 올렸습니다. 〈점은 위치만 있고 부분이 없는 것이다〉, 즉 넓이가 없다. 〈선은 길이만 있고 폭은 없는 것이다.〉 유클리드는 이렇게 점, 선, 면을 직관적으로 설명했으나, 1899년 힐버트는 그의 저서 『기하학의 기초Grundlagender Geometrie』에서 점, 선, 면은 설명할 필요가 없는 무정의(無定義) 용어여야 한다고 주장했지요. 점, 선, 면 대신에 각각 책상, 의자, 맥주잔이라고 불러도 아무 모순이 없다고까지 말했습니다. 왜냐하면 기하학은 무정의 용어 사이의 〈관계〉를 탐구하는 학문이지 무정의 용어가 무엇이냐는 문제와 별개이기 때문이죠. 그래서 기하학의 첫째 공리, 〈두 점은 한 직선을 결정한다〉를 〈두 책상은 한 의자를 결정한다〉로 바꿔도 괜찮다고 말할 수 있는 것이죠. 힐버트가 이러한 이론을 발표하기 한 해 전에 캐럴 교수님이 돌아가셨습니다. 만약 캐럴 교수님이 『이상한 나라의 앨리스』를 쓰기 전에 힐버트의 이론을 알았다면 이 동화책은 적어도 한 챕터가 늘어났을 것입니다. 새로이 추가된 챕터에서 앨리스는 키가 커졌다 작아졌다 할 뿐 아니라 애벌레가 되고 체셔 고양이가 되었다가 하트 여왕이 될 수도 있지 않았을까요? 제가 엉뚱한 몽상을 한 것이라고 생각하실지도 모르겠군요.

앨리스가 3월 토끼의 집에 들어갔을 때 모자 장수, 3월 토끼, 겨울잠쥐는 외쳤습니다. 〈자리 없어! 자리 없어!〉〈자리 많은데요!〉앨리스는 분해서 이렇게 외치고 안락의자에 앉았죠. 〈포도주 좀 마셔 봐.〉3월 토끼가 권했어요. 〈포도주는 안 보이는데요〉라고 말하자 3월 토끼는 〈포도주 없어〉라고 말했죠. 〈그런데도 포도주를 권하는 건 예의에 아주 어긋나는 일이에요.〉앨리스가 화를 내며 말하니까 〈앉으라고 하지 않았는데 앉는 것도 예의에 어긋나지〉라고 3월 토끼가 말했습니다.

이상의 대화를 듣다 보면 간단한 명제 논리가 떠오릅니다. 명제 〈P이면 Q이다〉와 명제 P가 참일 때 〈P가 아니면 Q이다〉도 참이고 〈P가 아니면 Q가 아니다〉도 참입니다. 즉 전제가 거짓일 때 해당 명제는 항상 참이죠. 자리 없다고 말했지만 자리가 있으니, 앉으라고 하지 않았는데 앉는 것은 예의에 어긋나지 않고, (포도주가 있다면) 포도주 좀 마셔 보라고 말했으니 포도주가 없는데 권해도 예의에 어긋나지 않는다고 해석할 수 있습니다. 그래서 앨리스와 3월 토끼는 더 이상 무례에 대한 논란 없이 다음 상황으로 넘어가지 않았을까요? 모자 장수는 앨리스에게 수수께끼를 냅니다. 〈갈까마귀와 책상이 왜 비슷하게?〉이 수수께끼에 대해 앨리스는 마땅한 답을 찾지 못합니다. 모자 장수와 3월 토끼도 모른다고 고백했죠. 앨리스뿐 아니라 수많은 사람들이 현재까지도 이 유명한 수수께끼에 대한 답을 찾고 있습니다.

캐럴 여러 독자들의 성화에 못 이겨 나는 이 수수께끼에 대해 〈Because it can produce a few notes, though they are very flat; and it is never put with the wrong end in front!〉라는 애매한 답을 내놓았었지요. 하지만 사람들은 이에 만족하지 않더군요. 어떤 사람은 『이상한 나라의 앨리스』가 출판되기 20년 전에 미국 시인 에드거 앨런 포Edgar Allan Poe가 쓴 명시 「갈까마귀The Raven」와 관련해 다음과 같은 답을 냈다고 합니다. 〈포는 이 둘에 관해서 작품을 썼다〉고.

최재경 저도 갈까마귀와 책상이 비슷한 이유를 하나 대고 싶습니다. 에스키모 신화에서 갈까마귀는 지구의 모든 생명과 인간을 창조했습니다. 그리고 인간에게 집과 카약을 만드는 법, 물고기 잡는 법을 가르쳤습니다. 한편 책상은 작가의 책상입니다. 작가는 책상에서 시와 소설을 씁니다. 그러므로 〈갈까마귀와 책상은 창조한다는 점에서 비슷하다〉라고 얘기할 수 있습니다.

처음 앨리스는 토끼 굴에 떨어졌을 때 키가 작아지거나 목이 늘어나며 이상한 일들이 벌어지자 자신이 변한 게 아닌지 확인하려고 구구단을 외워 보았습니다. 〈4 곱하기 5는 12, 4 곱하기 6은 13…….〉 이런 계산을 이해해 보기 위해 베일리 박사는 앨리스가 십진법이 아닌 다른 진법으로 계산했을 것이라고 설명합니다. 하지만 이런 설명은 굳이 하지 않는 게 낫습니다. 이때 앨리스는 잠시나마 멍청해진 것이 확실하죠. 왜냐하면 곧 기억력을 확인하기 위해 한 말이 〈런던은 파리의 수도이고 파리는 로마의 수도이고……〉였으니까요.

마지막으로 『이상한 나라의 앨리스』에서 수학의 역할을 재고해 보고자 합니다. 집합론의 창시자 칸토어Georg Cantor는 자연수의 개수가 유리수의 개수와 같고 실수의 개수는 더 많다고 보았습니다. 자연수 1, 2, 3, 4 사이사이에 유리수가 무한개나 되는데도 말입니다. 이렇게 무한의 크기도 서로 다르다는 혁명적인 주장을 하자 수학계의 거센 반발에 부딪혔는데 이에 칸토르가 항변했습니다. 〈수학의 본질은 그 자유에 있다.〉 이 말은 그의 묘비명에도 쓰였습니다. 이에 덧붙여 말하자면 수학의 두 가지 특성은 〈자유와 엄밀〉이라고 생각합니다. 논리의 엄밀함 없이 수학이 존재할 수 없습니다. 그러나 그 엄밀함이 문학과 예술 속에 나오는 수학에는 꼭 필요하지 않다고 봅니다. 앨리스에게 벌어진 일들에 사영 기하학과 구구단을 엄밀하게 적용할 필요가 없듯이 말입니다. 그러나 수학의 자유가 문학과 예술에는 꼭 필요하다고 봅니다. 왜냐하면 자유에서 창조가 꽃피며 상상력이 뻗어 나가기 때문이죠. 새 수학은 자유로움에서 움트며, 자유로운 예술가만이 진정한 작품을 창조한다고 생각합니다. 루이스 캐럴은 『이상한 나라의 앨리스』에서 수학자로서, 예술가로서 자유를 맘껏 발휘했습니다. 그의 자유는 일부 수학적인 편견에서 비롯된 것도 있으나 그 결과 나온 문학 작품은 예술적인 향기를 듬뿍 담고 있습니다. 자유가 고귀한 가치를 창조했습니다.

최재경은 서울대학교 수학과를 졸업하고 캘리포니아대 버클리 캠퍼스 수학과에서 박사 학위를 취득했다. 포항공과대 교수와 서울대 교수를 거쳐 고등과학원 수학부 교수로 재직했다. 현재 고등과학원 원장으로 재직 중이며 미분 기하학, 특히 최소 넓이를 갖는 극소 곡면론 연구에 헌신한 공로로 1995년 한국과학상을 수상했다.

그림+책+앨리스

대학 때 회화 전공 수업 중에 책 형식으로 만든 제 작업물을 보고 교수님이 참고하라며
보여 주신 책이 수 코의 『X』* 였습니다. 이 책은 수 코의 여느 회화처럼 시커멓고, 침울하고,
잔인하고, 통렬한 이미지로 가득 차 있었지만 분명 화집은 아니었습니다. 일련의 그림과
뒤섞인 텍스트, 연표 따위가 맬컴 엑스와 세상에서 X 표를 받은 모든 이에게 메시지를
보내고 있었지요. 하고 싶은 이야기를 이런 형식으로 풀 수도 있구나 싶었습니다.
아티스트북이라는 것을 처음으로 접했던 순간입니다.

우선 손에 가볍게 들어오는 크기가 주는 친밀감이 좋았습니다. 그의 그림을 갈무리해서
주머니에 쏙 넣어 버린 듯한 느낌이랄까요. 표지에 적힌 금액은 9.95달러, 가격도
좋았습니다. 회화적 깊이와 오라aura조차 없애는 평평한 인쇄, 대량 공급을 위해 단가를
낮추느라 발생한 결과일 저렴한 종이조차 메시지의 일부로 읽혔습니다. 그때 〈책〉이라는
매체의 특성에 어렴풋이 이끌렸던 것 같습니다. 물론 책이라는 매체의 대중성, 복제성, 혹은
장르적 통합성까지 생각한 것은 아니었겠지만, 다만 책이라는 물건을 손에 들면 가슴이
몹시 뛴다는 것을 알아차린 순간이었지요. 제가 앞으로 하고 싶은 것이 이런 것일지도
모른다고 생각하면서요.

한 권의 책이 잠시 신선한 불꽃을 튀기고 지나가고, 졸업 후에 순수 미술과 순수하지 않다는
미술의 경계에서 허우적대던 저는 책으로 작업을 이어 가고 싶었습니다. 책에 더 깊숙이
들어가 보고자 가능한 모든 것을 찾고 동원하여 북아트 과정을 공부하러 영국으로 가게
되었습니다. 런던에 도착하고 처음 본 전시가 영국 도서관의 루이스 캐럴 회고전이었지요.
그 김에 작정하고 이 고전을 이리저리 뒤집어 가며 읽어 보게 된 것이 『이상한 나라의
앨리스』와의 조우였지요. 다 큰 독자로서 『이상한 나라의 앨리스』를 다시 읽는 것은
새로웠습니다. 기이한 인물들, 부조리한 대화, 혼란스럽고 소란하고 다채로운 초현실적
앨리스는 이미 무수한 창작자들에게 영감을 주었고 다양한 방식으로 재창작되어 왔습니다.
루이스 캐럴이 직접 책에 들어갈 그림을 그리기도 했었지만, 최종 출간본에 담긴 존
테니얼의 그림에 묘사된 앨리스는 작은 아이의 몸에 성인 여성의 얼굴을 얹은 듯 어딘가
어색합니다. 빅토리아 시대의 어린이에 대한 인식이 그대로 담겨 있는 기묘한 앨리스의
모습, 이야기의 모호함, 악몽 같은 분위기에 매료되었습니다. 마침 원더랜드에 막 도착한
유학생으로서 검은 머리의 앨리스가 된 기분을 느끼던 참이기도 했지요.

분명 같은 언어를 사용하되 서로 알아들을 수 없는 대화를 나누던 매일이었기에, 앨리스와
애벌레의 부조리한 대화를 재료 삼아 첫 과제로 책을 만들었던 기억이 납니다. 겹치고
찢기고 사라진 글자들의 소통 불가능한 대화를 시각적으로 보여 주는 작은 책이었지요.

이런 방식으로 앨리스는 제가 가지고 있던 많은 질문들에 나름의 실마리가 되어
주었습니다. 오랫동안 읽은 고전들이 그렇듯, 저의 질문을 더 복잡한 질문으로 되돌려
주면서도 슬쩍, 길을 터주는 듯했습니다.

회중시계를 든 하얀 토끼를 필사적으로 쫓던 앨리스는 현실과 한 끗 차이로 다르면서도
흡사한 이상한 나라에 떨어지지만, 그 모든 모험은 한낱 앨리스의 꿈이었지요. 앨리스의
꿈에 등장하는 다른 인물들도 종종 꿈을 꿉니다. 〈꿈속의 꿈〉 모티프는 제게 유난히
흥미롭게 다가왔습니다. 트위들디는 앨리스에게 붉은 왕이 지금 앨리스에 대한 꿈을 꾸고
있으며, 앨리스는 그저 그 꿈속의 존재일 뿐이라 일갈합니다.

붉은 왕이 꿈에서 깨어나면, 너는 펑 하고 사라질 거야. 마치 촛불처럼!

—『거울 나라의 앨리스』 중에서

앨리스는 붉은 왕의 꿈을 꾸고, 붉은 왕은 앨리스의 꿈을 꿉니다. 두 개의 거울이 마주 보는
것처럼 무한히 반복되는 꿈이지요. 무엇이 현실이고 무엇이 꿈인지 어떻게 알 수 있을까요?
호접몽, 그림 속의 그림, 책 속의 책과 같은 되돌이표의 자기 참조를 눈에 보이게, 시각적
서사만으로, 심지어 손에 쥘 수 있는 〈책〉이라는 구체적인 경험으로 바꿀 수 있을까요?
이 질문에서 시작하여, 졸업 작품으로 동명의 『이상한 나라의 앨리스』를 만들게 되었습니다.
이 책은 제가 쓰고 그려 출간한 첫 번째 그림책이 되었습니다.

『이상한 나라의 앨리스』는 당시 제가 마주하고 있던 질문들을 담고 있습니다. 이미지는
환영인가? 무대는 현실과 환상의 경계인가? 책은 그저 글을 담는 그릇인가? 책의 형식이
서사의 일부일까? 그림책은 〈그림+책〉인가? 그림만으로 이야기를 전달할 수 있을까?
그림책의 독자는 누구인가? 이 질문들에 대한 답을 마련하겠다는 야심 찬 시도로 저는 제
『이상한 나라의 앨리스』에 세 가지 층위를 쌓아 보았습니다.

무대

자주 놀러 가던 런던의 장난감 박물관에서 어느 날 눈길을 끈 것이 있었습니다. 종이로
제작한 작은 극장이었습니다. 아이들의 놀이에서 단서를 얻어 가짜 커튼과 가짜 배경의
무대를 꾸미고 저의 앨리스를 공연하기로 했습니다. 무대의 가장자리는 관객에게 환영을
펼쳐 보인다는 사실을 일관되게 인지시킵니다. 관객들은 자리에 앉아 공모한 꿈을
바라보지요. 하얀 토끼는 납작한 종이 인형으로 등장합니다. 검은 머리의 앨리스는 진짜

아이였다가 토끼 굴에 떨어진 후 마찬가지로 납작해집니다. 서양 미술사에서 환영과 실재를
다룬 작품들을 배경 그림 삼아 앨리스와 하얀 토끼는 환영과 실재가 그렇듯 서로 쫓고
쫓깁니다. 극이 진행되면서 모든 것이 뒤섞여, 어떤 것이 환상이고 어떤 것이 현실인지
구분하기 어려워집니다.

벽난로

공연이 끝나고 환호하던 관객들이 극장을 떠나면 또 다른 이야기가 시작됩니다. 무대에서
한 발짝 물러나면 독자는 공연이 펼쳐진 곳이 화려한 빅토리아 스타일의 벽난로 안에
설치된 환영의 무대였다는 것을 깨닫게 되지요. 〈이 모든 것이 한바탕 꿈이었답니다〉 식의
종결은 항상 우리를 출발점으로 되돌립니다. 이것이 꿈인지 아닌지 알려면 이전 상태에서
깨어나야 합니다. 책의 다음 페이지를 열기 위해 이전 페이지를 닫는 행위는 꿈에서
깨어나는 것과 유사하지요. 꿈에서 깨기 무섭게, 난데없이 창작자가 등장하여 진공청소기로
벽난로 속의 환상을 빨아들여 버립니다.

책

코덱스** 형식의 특징 중 하나는 순차적 선형성입니다. 독자가 책장을 넘기면 시퀀스가
일관된 순서로 누적되어 서사가 생성됩니다. 책장을 넘겨야 이야기가 진행되므로 독자의
존재는 책 읽기의 중요한 구성 요소가 됩니다. 지면에 얹힌 독자의 손가락 이미지는 우리가
여태껏 보아 온 무대와 벽난로, 그 모든 것이 다시 한번 평평한 종이 위의 한낱 환영일
뿐이라는 것을 말해 줍니다. 공연은 끝났고, 책도 끝났습니다. 다시 맨 앞으로 돌아갑니다.
『이상한 나라의 앨리스』 앞표지 귀퉁이의 손가락 이미지는 이 끝없이 순환되는 〈책
읽기〉라는 행위를 환기합니다.

글 없이 이미지 서사만으로 작동하는 책, 독자를 환상과 현실의 경계에 앉히고 벌이는
한판 공연, 꿈과 현실이 어느 정도 섞여 있는 삶, 경계 따위 개의치 않는 자유로운 존재인
어린이, 어린이성이라 부를 만한 것, 끝없는 놀이 정신, 그리고 이런 생각들이 구현된
〈물건〉으로서의 책, 책방의 매대 위에 똑같이 누워 있는 복제품으로서의 책, 독자의 손에
의해 어느 곳에서든 똑같이 시작되고 똑같이 끝나는 책……. 이런 잡다한 생각과 거친
표현이 제 『이상한 나라의 앨리스』에 담겨 있습니다.
이 책은 이후 트위들디와 트위들덤에게서 영감을 받은 거울상에 관한 이야기 『거울 속으로』,

책의 제본 선을 내용 일부로 끌어들여 실제와 상상의 세계가 서로 넘나드는 경계로 설정한
『파도야 놀자』, 같은 판형이지만 책의 열리는 방향을 바꿔 변주한 『그림자놀이』 이렇게 세
권의 책으로 구성된 〈환상과 현실의 경계 3부작〉 그림책으로 가지를 뻗어 나가게 됩니다.
앨리스 이야기 속 〈꿈속의 꿈〉 모티프는 〈책 속의 책〉을 실물로 구현한 그림책 『이 작은
책을 펼쳐 봐』로 이어지고, 저의 최근작인 『여름이 온다』는 『이상한 나라의 앨리스』처럼
무대로 시작해서 무대로 끝납니다. 비발디의 「사계」 중 여름 1, 2, 3악장 연주가 끝난
마지막 페이지에 『이상한 나라의 앨리스』의 이미지를 차용해 작가인 저 자신이 관객석에서
박수를 보내는 모습이 슬쩍 등장합니다. 창작자는 환상을 직조하고, 부수고, 넘나듭니다.
책들은 서로 연결되어 있고 서로를 다시금 불러냅니다. 모두 다른 책이지만 실은 같은
모티프가 반복되고 있는지도 모릅니다.
그림책은 얇고도 얇지만 바닥이 없는 토끼 굴 같습니다. 텍스트와 이미지 사이, 페이지와
페이지 사이, 어린이와 어른 사이, 그리고 현실과 환상 사이를 슬쩍 벌립니다. 그림책은
어린이가 보는 책이고, 이 이상한 나라를 헤매고자 하는 다 커버린 어린이를 위한 책이기도
하지요. 앨리스처럼 〈궁금하고도 궁금하구나!〉를 외치는 창작자들은 여전히 원더랜드를
드나듭니다. 저의 이상하고도 이상한 나라 역시, 여전히 현재 진행형입니다.

* Sue Coe. 강렬한 그래픽 아트와 행동주의로 유명한 영국 예술가. 1986년에 출간된 『X』는 미국의 흑인 인권
운동가 맬컴 엑스의 삶을 다루고 있다.
** codex. 고대 양피지 두루마리를 대체한 책의 형태. 얇은 금속판이나 나무를 묶어서 제본했으며 오늘날의
책과 유사한 형태이다.

이수지는 서울대학교 미술대학에서 서양화를, 영국 캠버웰 예술대학에서 북아트를 공부했다. 그림만으로 이야기
를 이끌어 나가는 힘과 책의 물성을 이용한 그림책 작업을 기반으로 어린이들이 꿈꾸고 상상하는 세계와 현실 세
계의 묘한 경계를 표현하는 독특한 책들을 선보이고 있다. 〈한스 크리스티안 안데르센 상〉, 〈뉴욕 타임스 그림책
상〉, 〈보스턴 글로브 혼 북 명예상〉 등을 받았다. 대표작으로 『여름이 온다』, 『파도야 놀자』, 『이상한 나라의 앨리
스』, 『거울 속으로』 등이 있다.

313

판타지-이미지의 향연

고혜경

어느 아침 사거리 신호등 앞에서 문득 눈길을 사로잡는 하얀 토끼, 어디로 갔는지 엿보려고 살짝 모퉁이를 따라 돌면 펼쳐지는 마법의 세상. 거인과 난쟁이가 살아 있고 옛날과 다가올 날이 공존하고 동식물이 말을 하는, 모두가 존재로서 살아 있는 세상이다. 이 생명과 모험으로 가득한 세상이 〈그저 판타지일 뿐〉이라는 과학 합리를 숭상하는 계몽적인 어른들의 설명은 최소한 아이들에게는 설득력이 없다. 어린이 마음이 작동하는 문법이 아니기 때문이다.

아기는 어디에서 오는지 눈을 반짝이며 심오한 물음을 던질 때, 정자와 난자의 결합이라고 하면 아이들은 〈황당하게 추상적인〉 어른들의 설명에 실망한다. 〈황새가 물어 와 창가에 선물로 내려놓지.〉 이 순간 아이는 커다란 황새가 아기를 입에 문 채 창으로 날아오는 모습을 머릿속에 그려 보며 〈말이 된다〉고 고개를 끄덕인다. 동화의 세계, 신화의 세계, 꿈의 세계는 한때 그러하였듯 살아 있는 세계이다. 〈사실이냐, 아니냐fact/fiction〉, 〈실체냐, 아니냐real/unreal〉를 논한다면, 누구나 마음속에 존재하는 상상의 실체imaginal real이다.

이 세계는, 흔히들 오해하듯, 황당하지 않다. 고유한 언어와 문법을 가지고 있다. 어린이 마음을 채우고 있는 심적 내용물과 가까운 세계인지라, 동화의 세계는 신화나 꿈의 세계와 닮았다. 꿈과 신화를 탐색하고, 꿈처럼 생각하고, 어린이 마음으로 세상 보기를 염원하며 공부하는 어른으로서 『이상한 나라의 앨리스』에서 이 세계의 문법과 코드를 찾아 읽어 보려 한다.

상상의 세계에는 언제나 비밀 통로가 있다. 지금의 세계를 그 너머의 세계로 인도하는 가교이자 유일한 진입로이다. 『이상한 나라의 앨리스』에는 〈아래로, 아래로, 아래로〉가 주문처럼 등장한다. 앨리스는 갑작스러운 토끼 굴 추락으로 이 세계에 빠져드는데 바로 여기가 비밀 통로이다. 깊은 우물로 떨어지는 듯, 무척 깊고 깜깜한 아래로 느릿느릿하게 끝없이 떨어진다고 묘사된다. 앨리스는 그렇게 떨어지다 지구 반대편에 거꾸로 매달려 사는 사람들의 세상으로 갈까 봐 염려도 한다. 마침내 당도한 세상은 앨리스의 상상을 훨씬 넘어선다. 사람들이 거꾸로 매달려 사는 것이 아니라 앨리스의 상식이나 관념이 거꾸로 뒤집힌다. 모든 것이 쉼 없이 변화하고 너무 커지거나 작아져서 도무지 들어맞지 않는다. 열쇠는 너무 크고 자물쇠는 너무 작고, 하마라 생각한 동물이 쥐이고, 눈물이 홍수가 되어 웅덩이가 만들어진다. 앨리스의 몸이 집 안에 꽉 끼고 팔은 창밖으로 삐져나온다. 〈정상〉 크기, 〈정상〉 속도, 혹은 〈평범〉은 존재하지 않는다. 온통 뒤죽박죽인 모험의 세계이다. 강둑에서 지루하게 멍하니 있던 앨리스가 〈너무 자주 안 변하고 싶다〉라고 탄식할 정도로 가변적이다.

이 모험에서 결코 잊히지 않는 이미지가 있다. 바로 앨리스의 몸이 거인처럼 커지거나 엄지 공주처럼 작아지는 몸 모험이다. 유아기에 처음 상대적인 세계를 이해하기 시작할 때, 〈크다〉와 〈작다〉는 반드시 습득해야 하는 개념이다. 어른이 되어서도 크기는 세상을 이해하고 수용하는 주요한 가늠자이다. 〈무지하게 크다〉나 〈엄청나게 작다〉를 체화하는 인물들인 엄지 공주나 호호 할머니, 난쟁이와 거인들이 동화외 신화의 세계에서는 결코 사라지지 않는다. 엄청난 크기 변화는 신기한 마법 같지만 실은 심리학적 진실을 드러내는 진술이다. 신화에 등장하는 타이탄과 거녀(巨女) 할머니는 아이가 처음 만나는 세상에 대한 의인화된 은유이다. 자연의 힘은 가늠할 수 없이 크고 압도적인데, 상대적으로 아주 작고 미미하게 느껴지는 아이의 감정 정서를 드러내는 것이다.

『이상한 나라의 앨리스』에는 거인도 소인도 될 수 있게 하는 마법의 〈촉매〉가 등장한다. 음료, 버섯, 케이크이다. 호기심 많은 앨리스는 〈나를 마셔요〉라고 적혀 있는 병의 음료를 마시고 자갈 케이크를 먹는다. 소꿉놀이할 때 빈 그릇을 들이켜며 감사하다고 했던, 돌을 케이크라 여기며 냠냠했던 추억이 떠오른다. 뭔가를 먹는다는 은유는 내 밖의 무언가, 혹은 누군가를 내 안으로 흡수하고 동화하는 적극적 행위이다. 꿈 세계에서 우리는 신비한 약초를 먹고 흙 빵을 삼키고 흰 뱀 고기도 먹는다. 그 결과, 커다란 암반을 머리 위로 들어 올리는 괴력의 소유자가 되거나 새들이 하는 말을 알아듣게 된다. 먹어서 자양분을 섭취하여 내 몸을 만들듯, 몸 밖의 뭔가를 먹어서 외부에 존재하던 힘을 내 안으로 통합한다. 앨리스는 매번 먹고 마셔서 몸 크기가 변화하는데 〈이 모험의 세계를 계속 탐험하느냐, 앞으로 일어날 일이 두려워 멈추느냐〉 하는 단초가 〈먹는다〉는 행위에 달린 셈이다. 〈호기심꾸러기〉 앨리스가 모험을 계속하려는 언약인 셈이다. 처음에는 병에 독이 들었는지 의심하고 조심하던 앨리스가 어느새 〈이상한 일이 일어나는데 무척이나 익숙해졌기에 평범한 일은 지루하고 시시하게 여겨졌다〉라고 말을 한다. 낯선 모험의 세계에 대한 두려움이 점차 흥미진진한 기대로 바뀌는데, 이즈음 독자들도 책 제목의 〈원더랜드〉에서 〈이상함〉보다는 〈놀라움〉이나 〈경이로움〉이라는 뉘앙스가 더 적절하다고 느끼게 된다.

앨리스의 모험에 이토록 빠져드는 이유가 뭘까 생각하다 이미지 언어에서 그 비결을 찾는다. 이 책은 이미지 묘사가 탁월해서 읽기만 해도 절로 그림이 그려지고 현장이 영화처럼 입체화된다. 명사로 기술해 단정하기보다 비유나 은유를 사용해 즉각적으로 연상되게 한다. 앨리스의 몸이 커질 때, 집 크기로 커진 몸의 곤란이 체감으로 다가온다.

몸이 작아질 때는 〈망원경이 접히듯〉이라고 표현해서, 망원 렌즈로 원근을 조절하여
물체의 크기를 달리 보이게 하던 기억을 즉각 소환한다. 같은 맥락에서, 키가 커지는 상황에
앨리스가 멀어지는 발에 인사를 한다. 〈잘 가렴, 내 발들아!〉이는 머리에서 발끝까지
엄청난 거리를 가늠하게 해주고, 발에 소식을 전할 때는 우체부를 이용해야 한다는
상상까지 동원한다. 입이 무거운 사람을 〈굴 껍데기처럼〉이라 말할 때, 꽉 다문 채 벌어지지
않는 입의 모양새가 선연하게 떠오른다.

이런 이미지 묘사에는 시각뿐 아니라 비가시적인 감각인 촉각, 청각, 미각, 온기가
총동원된다. 앨리스가 병의 내용물을 마실 때는 고소한 토스트의 풍미가 침샘을 자극하고
실크처럼 부드럽고 달콤한 커스터드푸딩의 식감이 입가에 맴돈다. 고양이 다이너를 묘사할
때는 난롯가에 늘어지게 누워 앞발로 세수하는 모습과 함께 가르랑거리는 소리가 나른한
행복감이 되어 집 안 공기를 따스하게 진동시킨다. 앨리스가 다이너를 안고 쓰다듬을 때는
부드러운 털의 감각이 손안에 잡히는 듯하고 아련한 그리움이 가슴으로 스며든다. 감각을
일깨우니 생생함이 구체화되고 경험에 깊이가 더해져 독자들도 모험 세계의 일부가 된다.

후반부의 카드 모험에 동원되는 상상력은 경탄을 자아낸다. 다이아몬드와 하트 문양의
이차원 카드들이 머리를 땅에 박고 사각의 배를 땅에 붙인 채 납작 엎드린다. 카드놀이를
할 때는 패자가 손에 든 카드를 던지며 〈죽었다〉라고 말하면 게임이 끝나는데, 모험의
세계에서는 이차원 평면이 삼차원 입체로 살아나 그 안의 카드들도 목소리를 내며
적극적으로 참여한다. 이 세계는 토끼도 바다거북도 애벌레도 심지어 무생물인 카드조차
생명체이다. 이때 왕비가 사형 선고를 내리자 앨리스는 〈하나도 안 무서워. 너희는
카드잖아〉라고 말한다. 마치 잠을 깨우는 알람 시계 소리처럼, 정상과 평범과 보통이라는
친숙한 표층 세계의 상식이 이상한 세계로 침투하자, 모든 카드가 종잇장처럼 공중으로
날아올라 땅으로 떨어져 내린다. 처음에 앨리스는 〈아래로, 아래로, 아래로〉라는 주문과
함께 모험 세계로 들어간다. 이제 모험 세계가 아래로 추락한다. 그저 카드라고 말하는 순간
모험 세계에 사형 선고가 내려지듯 이 세계가 끝이 난다. 이 순간도 절묘하다.

몸으로 쏟아져 내리는 카드를 밀어내려는 앨리스의 손짓과 낮잠을 자는 앨리스의 얼굴로
떨어지는 낙엽을 쓸어 내는 언니의 손짓이 나란히 겹친다. 앨리스의 세계와 언니의 세계,
이상한 세계와 감독의 세계, 깊이의 세계와 표층의 세계가 절묘하게 교차한다. 〈정말 이상한
꿈을 꾸었어!〉감독으로 완전히 돌아온 앨리스의 말이다. 여행에서 돌아온 듯 이상한 세계를
다녀왔다는 확인 같기도 하다. 잠에서 깨어나도 모험 이야기는 앨리스의 마음에서, 그리고
생생한 이야기를 들은 언니의 마음에서 사라지지 않는다. 예측 불허하고 뭐든 잘 들어맞지

않아 묘수를 찾아야만 하는 세상, 무엇보다 이미지의 향연이 펼쳐지는 흥미진진한 세상, 뭐든 가능하고 모든 것이 살아 있는 이상한 세상에 대한 끌림은 마음의 중력이 되어 쉽게 사라지지 않는다.

어릴 때는 세상 전부가 놀이터였다. 자연은 보물 창고였다. 놀이는 끝이 없었고 상상은 자유로웠다. 호기심꾸러기 앨리스가 〈나〉였었다. 어른이 된 지금은 매일 꿈을 꾼다. 아직도 꿈을 꾸는데, 꿈 세계는 모험으로 가득한데, 왜 그 세계가 허구라는 편견이 굳게 자리를 내리고 있는지 모르겠다. 꿈의 세계, 상상의 세계를 넘나들며 모험을 즐기던 그 아이를 망각했을 따름이다. 단지 〈사는 게 바빠서〉라고 한다면, 모험을 하지 않아서 삶이 지루하고 고단한 것은 아닌지 내 안의 앨리스가 똘망똘망한 눈으로 물어 올 것이다. 앨리스의 모험이 변화의 촉매제가 된다. 앨리스가 마중물을 쏟아부어 〈아래로, 미지로, 깊은 어둠 속으로〉 모험의 세계에 눈을 뜨라고 아지랑이처럼 간질간질 유혹할 것이다.

고혜경은 미국 퍼시피카 대학원에서 신화학으로 석·박사 학위를, 오클랜드 창조영성대학원에서 영성학 석사 학위를 받았다. 현재 치유상담대학원대학교 교수로 재직 중이다. 꿈 작업을 통한 집단 의식의 진화와 인류 초창기 여신 전통, 그리고 이분법을 넘어서는 대안으로 심리학적 다신관 연구에 집중하고 있다. 지은 책으로 『마음 오디세이아 I』 『꿈이 나에게 건네는 말』 『꿈에게 길을 묻다』 『나의 꿈 사용법』 등이 있다.

Carroll

ALICE'S ADVENTURES IN WONDERLAND

Dalí

LEWIS CARROLL — THE COMPLETE ALICE — Salem House

LEWIS CARROLL — THROUGH THE LOOKING GLASS — ILLUSTRATED BY STEADMAN — mk — California

Lewis Carroll — Through the Looking-Glass, and what Alice found there

LEWIS CARROLL, ALICE THROUGH THE LOOKING-GLASS ILLUSTRATED BY PETER BLAKE. MERRELL.

ALICE'S ADVENTURES IN WONDERLAND — By LEWIS CARROLL. With Illustrations by CHAS ROBINSON. — CASSELL

ALICE'S ADVENTURES UNDER GROUND

CFM — ALICE — CFM

Alice's Adventures in Wonderland — Carroll

Alice in Wonderland

THROUGH THE LOOKING-GLASS

ALICE'S ADVENTURES IN WONDERLAND — LEWIS CARROLL ILLUSTRATED WITH GWYNEDD M HUDSON

LEWIS CARROLL — ALICE AU PAYS DES MERVEILLES — LIBRAIRIE DELAGRAVE

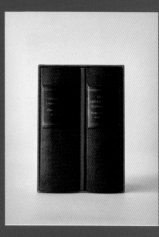

Anderson's Alice

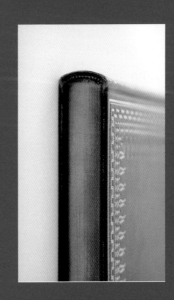

전시 도서 목록

도서	아티스트	출판사	발행 연도	면수	크기	장정	저작권자
이상한 나라의 앨리스와 거울 나라의 앨리스 Alice In Wonderland & Through the Looking-Glass	블랜치 맥매너스	뉴욕: M. F. Mansfield & A. Wessels	1900	254	20.3 × 25.4cm	하드커버	Blanche McManus
이상한 나라의 앨리스 Alice's Adventures in Wonderland	피터 뉴웰	뉴욕: Harper and Brothers	1901	192	15.2 × 22.8cm	하드커버	Peter Newell
거울 나라의 앨리스 Through the Looking-Glass	피터 뉴웰	뉴욕: Harper and Brothers	1902	210	15.2 × 22.8cm	하드커버	Peter Newell
이상한 나라의 앨리스 Alice's Adventures In Wonderland	마리아 루이즈 커크	뉴욕: Frederick A. Stokes Company	1904	246	15.2 × 21.5cm	하드커버	Maria Louise Kirk
이상한 나라의 앨리스 Alice's Adventures In Wonderland	아서 래컴	런던: William Heinemann	1907	162	13.8 × 20.3cm	하드커버	Arthur Rackham
이상한 나라의 앨리스 Alice's Adventures In Wonderland	찰스 로빈슨	런던: Cassell & Company	1907	180	15.2 × 20.3cm	하드커버	Charles Robinson
이상한 나라의 앨리스 Alice's Adventures In Wonderland	귀네드 허드슨	런던: Hodder & Stoughton	1922	180	19 × 25.4cm	하드커버	Gwynedd Hudson
이상한 나라의 앨리스 Alice's Adventures in Wonderland	윌리 포가니	뉴욕: E.P. Dutton	1929	192	13 × 19cm	하드커버	Willy Pogany
이상한 나라의 앨리스 Alice in Wonderland	마리 로랑생	파리: Black Sun Press	1930	130	17 × 23.4cm	하드커버	Marie Laurencin
이상한 나라의 앨리스 Alice's Adventures In Wonderland	존 테니얼	뉴욕: Limited Editions Club	1932	182	22.9 × 15.2cm	하드커버	John Tenniel

도서	아티스트	출판사	발행 연도	면수	크기	장정	저작권자
이상한 나라의 앨리스와 거울 나라의 앨리스 Alice au Pays des Merveilles et a travers le Miroir	앙드레 페쿠	파리: Librairie Delagrave	1935	184	25.5 × 33cm	하드커버	André Pécoud
지하 세계의 앨리스 Alice's Adventures Under Ground	루이스 캐럴	앤아버: University Microfilms	1964	90	15.2 × 24cm	하드커버, 슬립 케이스	Lewis Carroll
이상한 나라의 앨리스 Alice I Underlandet	토베 얀손	스톡홀름: Albert Bonniers	1966	112	15.2 × 23cm	하드커버	Tove Jansson
이상한 나라의 앨리스 Alice's Adventures in Wonderland	살바도르 달리	뉴욕: Maecenas Press	1969	72	33 × 47cm	하드커버, 가죽 장정 케이스	Salvador Dali, Gala-Salvador Dalí Foundation, SACK, 2023
루이스 캐럴의 마법 피리 Lewis Carroll's Wunderhorn	막스 에른스트	슈투트가르트: Manus Press	1970	80	25 × 33.5cm	하드커버	Max Ernst
거울 나라의 앨리스 Through the Looking Glass	랠프 스테드먼	런던: MacGibbon & Kee	1972	144	21.5 × 31cm	하드커버	Ralph Steadman, Ralph Steadman Art Collection
이상한 나라의 앨리스: 회사 설립과 연극 제작 Alice In Wonderland: The Forming of a Company and the Making of a Play	리처드 애버던	뉴욕: Merlin House	1973	176	22.5 × 27.8cm	하드커버	The Richard Avedon Foundation
이상한 나라의 앨리스 Alice's Adventures in Wonderland	가네코 구니요시	이브레아: Olivetti	1974	118	27.6 × 34.7cm	하드커버	Kuniyoshi Kaneko
이상한 나라의 앨리스 Alice's Adventures in Wonderland	배리 모저	버클리: University of California Press	1982	130	22.3 × 35cm	하드커버, 천 슬립 케이스	Barry Moser, Pennyroyal Press
앤더슨의 앨리스 Anderson's Alice	월터 앤더슨	미시시피: University Press of Mississipp	1983	112	20.9 × 25.4cm	하드커버	Walter Anderson

전시 도서 목록

도서	아티스트	출판사	발행 연도	면수	크기	장정	저작권자
거울 나라의 앨리스 Through the Looking-Glass	배리 모저	버클리: University of California Press	1983	172	22.3 × 35cm	하드커버	Barry Moser, Pennyroyal Press
앨리스 전집과 스나크 사냥 The Complete Alice & the Hunting of the Snark	랠프 스테드먼	런던: Jonathan Cape	1986	344	21 × 29.8cm	하드커버	Ralph Steadman, Ralph Steadman Art Collection
존 테니얼의 이상한 나라의 앨리스와 거울 나라의 앨리스 삽화 Sir John Tenniel's Illustrations to Alice's Adventures in Wonderland&Through the Looking-Glass	존 테니얼	런던: The Rocket Press	1988	272	25 × 35.5cm	하드커버, 천 슬립 케이스	John Tenniel
앨리스 앨범 Album für Alice	알베르트 쉰데휘테	함부르크: Hoffmann und Campe	1993	174	20.8 × 30.1cm	하드커버	Albert Schindehütte
이상한 나라의 앨리스 Alice In Wonderland	가네코 구니요시	도쿄: Media Factory	2000	64	20.8 × 27.4cm	하드커버, 플라스틱 덧싸개	Kuniyoshi Kaneko
거울 나라의 앨리스 Through the Looking-Glass	프란치스카 테머슨	옥스퍼드: Inky Parrot Press	2001	122	17 × 26cm	하드커버, 슬립 케이스	Franciszka Themerson
이상한 나라의 앨리스와 거울 나라의 앨리스 Alice's Adventures in Wonderland & Through the Looking-Glass	앤 바슐리에	뉴욕: CFM Gallery	2005	216	17.3 × 36.5cm	하드커버	Anne Bachelier
거울 나라의 앨리스 Through the Looking-Glass	피터 블레이크	런던: Merrell Publishers	2006	112	20.3 × 27.9cm	하드커버	Courtesy Peter Blake, Waddinton Custot, London
이상한 나라의 앨리스 Alice's Adventures In Wonderland	매기 테일러	샌프란시스코: Modernbook Gallery	2008	186	29 × 29cm	하드커버	Maggie Taylor

LIST OF EXHIBITION BOOKS

도서	아티스트	출판사	발행 연도	면수	크기	장정	저작권자
이상한 나라의 앨리스 Alice's Adventures in Wonderland	구사마 야요이	런던: Penguin Books	2012	192	18.9 × 22.7cm	하드커버	Yayoi Kusama
거울 나라의 앨리스 Through the Looking-Glass	매기 테일러	샌프란시스코: Modernbook Gallery	2018	194	29 × 29cm	하드커버	Maggie Taylor
이상한 나라의 앨리스 Alice's Adventures in Wonderland	찰스 반 샌드윅	런던: Folio Society	2019	168	17.7 × 25.2cm	하드커버, 슬립 케이스	Charles Van Sandwyk

발췌 도서

루이스 캐럴, 살바도르 달리 그림, 『이상한 나라의 앨리스』, 이순영 옮김, 문예출판사, 2022

루이스 캐럴, 머빈 피크 그림, 『이상한 나라의 앨리스』, 최용준 옮김, 열린책들, 2007

참고 사항

└ 책의 도판은 저작권자의 사용 허가를 받아 게재했습니다.

└ 저작권자를 찾지 못한 일부 도판에 대해서는 저작권자가 확인하는 대로 게재 허락을 받겠습니다.

전시
앨리스 북아트전: 현실과 초현실을
지나는 앨리스

2023.04.21.~2023.07.30.
소전서림 북아트갤러리

주최 소전문화재단
이사장 김원일
기획·운영 소전문화재단
디자인 NBO

출판
앨리스: 우리는 한때 이상한 나라에 있었다

발행일 2023년 6월 30일 초판 1쇄
발행인 김원일
발행처 소전서가
주소 서울시 강남구 영동대로138길 23 소전문화재단
전화 02-511-2016
홈페이지 www.sojeonfdn.org
기획·편집 소전문화재단
글 이강훈, 이진숙, 정병선, 최재경, 이수지, 고혜경
사진 박찬우
디자인 모스그래픽

ISBN 979-11-982750-1-1 04600
ISBN 979-11-982750-0-4 (세트)
소전서가는 소전문화재단의 출판 브랜드입니다.

소전문화재단

누구나 문학을 곁에 두고 그 안에서
펼쳐지는 담론에 참여할 수 있도록 독서를
장려하고, 문학 창작을 후원하는 문화 예술
재단이다.

소전서림

문학 전문 도서관 소전서림은 <흰 벽돌로
둘러싸인 책의 숲>이다. <세상에서 가장
책 읽기 편한 공간>을 지향하며, 책을
매개로 다양한 프로그램을 운영한다.

소전서림 북아트갤러리

꼭 읽어야 하는 고전 문학을 소개하고, 문학에 미술과
출판이 결합된 <북아트>를 선보이는 전시 공간이다.
다양한 기획전을 통해 문학이 지닌 표현 방법의
가능성을 살펴보고, 독자와의 접점을 만들어 가고 있다.